知的生きかた文庫

女40代からの「ずっと若い体」のつくり方

満尾 正

三笠書房

はじめに

「太らない」「きれい」「強い」——今日から始めよう！

あなたの体の中には、**誰にでもある「若返る仕組み」**が眠っています。

若返る仕組みは、ちょっとした生活習慣の改善で、誰もが目覚めさせることができます。本書は、そんな生活習慣の改善の方法をご紹介しています。

私が長年、携わってきたアンチエイジング医療とは、ひと言で言ってしまえば「老化防止」のための医療です。食事、運動、睡眠など生活の基本習慣を見直して、老化のスピードや程度を抑え、若さをとり戻すことを目的の一つとします。

かつては、「若返り？　そんなことできるのですか」と半信半疑で見られていたものですが、今はずいぶん変わりました。

「健康的」「がんばらなくてもいい」「特別なことはしない」「ストレスがない」「ダイエットのリバウンドのような副作用がない」という、いわば「いいことずくめの健康法」として、女性の間で広く知られるようになりました。

それどころか、アンチエイジングは、今や精神面を含めて体の内側から「若さ」をとり戻すライフスタイルとしても受け入れられています。アンチエイジングの専門医師としては、望外の喜びです。

本書のテーマ、「ずっと若い体」とは、「三つの力」を兼ね備えた体です。

一つは、**「基礎代謝力」**。これは、**体脂肪を燃やして肥満を防ぎ、体をいきいきさせる力**です。つまり、「若返る仕組み」の元となる体の働きです。

40歳前後になると、誰でも基礎代謝力が低下します。体は太りやすくなり、「肌にハリがなくなった」という美容上の問題から、糖尿病などの生活習慣病のリスクまで、さまざまな老化現象を呼び込みます。

基礎代謝力は筋肉を鍛え、筋肉量を増やすことで高まります。1週間に4日、30分のウォーキングと10分ほどの筋トレをするだけで、「若返る仕組み」本来の働きをとり戻せるのです。

二つめは、**「ホルモン力」**。**女性の美しさには欠かせない力**ですが、これも40歳前後になると、ぐっと低下します。「40歳は体の曲がり角」と言われるのは、ホルモンの分泌量が急激に減ってしまうことにもよるのです。

ホルモン力は、たとえば若返りホルモン「ＤＨＥＡ」の分泌を増やすことで高めます。ＤＨＥＡは、男性ホルモン、女性ホルモンの元となり、体を若返らせる「ミラクルホルモン」なのです。

そして三つめが、**「免疫力」**。病気を寄せつけない**「強い体」をつくる力**です。

この力も、加齢によって徐々に低下してしまうのですが、やはり、生活習慣の改善で高めることができます。たとえば、半身浴の習慣で体温を高める。これだけでも、ずいぶん差が出ます。

これら「三つの力」は、互いに影響し合っています。

「太らない」「きれい」「強い」――この3条件を、効率よくそろえることで、**「ずっと若い体」が手に入る**のです。

これからの人生をもっと充実したものにするためにも、若さをとり戻すのに遅いということはありません。思い立ったそのときが、アンチエイジングの始まりです。

一歩を踏み出そうとしているあなたに、本書は「ずっと若い体」をお約束します。

満尾　正

『女40代からの「ずっと若い体」のつくり方』●もくじ

1章　女40代、今日から始める「ずっと若い体」

2章 実感！ 女性の体は「3週間」でよみがえる！

3章 今からでも間に合う！「ずっと若い体」になる食べ方

4章　1日10分・週4回――効率よく体を動かそう

5章　女40代からの「免疫力」を高める生き方

本文イラスト――石玉サコ
本文DTP――川又美智子
編集協力――㈱プロースト

1章
女40代、今日から始める「ずっと若い体」

ずっと若い女性の「体の仕組み」

女も男も、18歳前後になると、体の成長が止まります。

その後は、「老いの坂道」をひたすら下ります。はじめは、ゆっくり。**30代に入ると、老化は加速**しはじめます。

そして40歳前後、体は大きな「曲がり角」を迎えます。


肌にハリがなくなった。

顔にシワができた。

白髪が出てきた。

息切れがする。

老眼になった。

「中年」の仲間入りをする40歳前後、こうした目に見え、自覚できる体の変調が次第に現れます。いわゆる「老化現象」です。老化は、歳を重ねるにしたがって起こる、体の機能の低下です。体のさまざまな細胞や器官が衰えて、本来の役割を果たせなくなるのです。

こうした老化現象が一つ二つ、すでに現れている人もいます。一方、まったく何も現れていない人もいます。

老化のスピードが、人によって違うからです。

「一気に老け込む人」がいれば、「ずっと若い人」もいるのです。

50歳前後になると、女性にはもう一度、体の曲がり角がやってきます。このとき、その後の人生を「老けている人」として送るか、「ずっと若い人」として過ごせるかが決定づけられます。

「基礎代謝力」が決定づけるのです。

体は眠っている間でも、呼吸や体温を調整したり、熱を生み出したり、血液を循環させたり、脳を活動させたりなど、無意識的に、食事でとり込んだエネルギーを消費しています。

これが「基礎代謝」と呼ばれる働きで、この基礎代謝で消費されるエネルギーの量を「基礎代謝量」と言います。生きているために1日に最低限必要なエネルギー量です。キロカロリーで単位を表します。

ここで重要になる「基礎代謝力」とは、「体重1キロあたりの基礎代謝量」を示し、その人のエネルギー消費（基礎代謝）能力を表わします。基礎代謝量を体重で割って出します。

女性の一生を通じて、基礎代謝量がもっとも多い時期は14歳のころ（男性は16歳）。それ以降、基礎代謝の機能が低下し、基礎代謝量はどんどん落ちていきます。当然、基礎代謝力も下がります。**体内で、着々と老化が進みはじめている**のです。

基礎代謝量の減少、基礎代謝力の低下の大きな原因の一つに、加齢によって筋肉の力が衰え、筋肉の量が減ることがあります。

基礎代謝に必要なエネルギーは、おもに筋肉で使われます。筋肉が弱くなって少なくなると、基礎代謝力が低下して老化がますます進みます。

逆に、少し筋肉を鍛えてその量が増えれば、基礎代謝力は上がります。

「若返る仕組み」――同い年に差をつける法

そして、「老化が止まった」と実感するほど、**老化のスピードがぐっとゆるやか**になります。

基礎代謝という働きは、「若返る仕組み」でもあったのです。

1日30分のウォーキングと、10分程度のスクワットや腕立て伏せなどの筋力トレーニング（筋トレ）を、1週間に4日ほど行なう習慣を持つ――。たったこれだけのことで基礎代謝力は高くなり、基礎代謝の働きは、「若返る仕組み」として活用できるようになるのです。

40代のうちにこの習慣を持ちたいものですが、更年期を迎えてから始めても遅いということはありません。思い立ったそのとき、アンチエイジングの新しい人生のページが開かれます。

基礎代謝力が高まれば、失った肌のハリ、シワ、白髪といった老化現象の多くは、解消するでしょう。それどころか、**「5年前、10年前の体に巻き戻す」**ことも、おおいに可能になります。

まさに体の「内側から湧き出る若さ」が、すぐにあなたのものになるのです。

自分の体の「老化サイン」を簡単にチェック！

「老ける人」は「太る人」――。

基礎代謝力は、もともとダイエットで、肥満の指標として使われてきました。

体は基礎代謝力が高ければ太りにくく、基礎代謝力が低いと太りやすくなります。

基礎代謝は、**体脂肪を燃やして減らす「最強の機能」**なのです。

太るのは、仕事や運動などで消費するエネルギーより、食事でとるエネルギーが上回るからです。体は余ったエネルギーをいざというときに使うために、体脂肪に換えて蓄えます。こうして、体は太りだします。

基礎代謝力は、老化度の指標にもなります。

基礎代謝力が低下すれば、とり込んだエネルギーが十分に消費されずに余ります。

老化による機能低下が、原因になっています。このように、肥満と老化は背中合わせの関係にあります。

老化は、最強の機能をさびつかせます。

これが「老ける人は、太る人」になる理由です。逆もまた真実です。**「若い体は、太りにくい体」になる**、と言えるのです。

私たちは食べたり飲んだりして、1日の活動に必要なエネルギーを得ます。体はそれを、「代謝」することで使い切ろうとします。

代謝は、生きているための基本的な体の働きです。毎日の食事からとるさまざまな栄養素をエネルギーに換えて、消費するシステムです。

基礎代謝、生活活動代謝、食事誘導性体熱産生（DIT）の三つの代謝があり、総称して「エネルギー代謝」と呼びます。

基礎代謝とは、前項でも触れたように、呼吸や体温を調整したり、熱を生み出したり、血液を循環させたり、脳を活動させたりなど、無意識的な体の活動にエネルギーを使う代謝です。

通勤や仕事、家事などの生活のために必要なエネルギーを使うのが、生活活動代謝です。運動も含まれます。

「体の中の老化」を見抜く！ チェックリスト

- □ 少し食べただけで太る
- □ 疲れやすく、翌朝まで疲れが残ることが多い
- □ あまり汗をかかない
- □ 通勤、社内移動以外はあまり歩かない
- □ 肩こり、腰痛がある
- □ 目の下にクマができる
- □ むくみやすい
- □ 冷え性
- □ 平熱が35.9度以下
- □ 月経不順

ＤＩＴは、食事をしている際に消費されるエネルギー。食事をすると、体が熱くなったり汗をかいたりします。それがＤＩＴです。

エネルギー代謝のなかで、一番たくさんエネルギーを消費するのが、基礎代謝です。通常、代謝で消費される全エネルギーのじつに約7割が、基礎代謝で使われています。生活活動代謝で2割、残り1割がＤＩＴです。

しかも、基礎代謝は、その日に得たエネルギーを使い切るだけではなく、すでに溜まっている体脂肪の燃焼も促進します。

だから、ハードな運動をしてエネルギーを消費するよりも、**基礎代謝力を高めて消費する割合を上げるほうが、太らない体をつくるには効果的**なのです。基礎代謝力を高めておけば、何もしないでボーッとしていても、部屋でゴロゴロしていても、体はせっせと、体脂肪のもとになるエネルギーを消費してくれるのですから。

少し食べただけで太る、体重がなかなか減らないというのは、基礎代謝がさびつきはじめた確実なサイン。いずれ老いが押し寄せる兆候です。肥満は、体の中の「老い」を知らせる警報なのです。

ここで、あなたの体の老化のサインをチェックしてみましょう。

体内の老化現象はなかなか自覚できるものではなく、放っておくと一気に老け込みかねません。21ページのリストを見て、一つでも思いあたれば、基礎代謝力が低くなっている可能性が高いと思ってください。

基礎代謝力を上げて「女の若返りサイクル」をつくる

「基礎代謝力の高い体」は、「ずっと若い体」です。

逆に言えば、「基礎代謝力の低い体」は、「すぐに老け込む体」です。

基礎代謝力を下げる一番の大敵は、筋肉の「量」が落ちること。これは前にお話ししました。

もう一つ、「ずっと若い体」づくりの大敵となる現象があります。

それは、心肺機能の低下です。心肺機能は肺で空気を吸い込んで酸素をとり込み、心臓から新鮮な血液を全身に送って、酸素を体内にめぐらす働きです。

心肺機能が低下していると、駅の階段を上がるだけでハーハーと息切れがしたり、少し走るだけで心臓がドキドキしたりします。スタミナ（持久力）がなくなっているのです。

こうなると、体を動かすのがおっくうになり、慢性的な運動不足になります。それによって、筋肉が衰えます。腕の筋肉はあまり減りませんが、もっとも大きい太ももの筋肉は20代に比べて40代で1割、60代で約3割も減少します。

心肺機能が低下した人は、休日は家にこもってダラダラと過ごしてしまいます。体には、良くも悪くも「適応力」がありますから、そのダラダラ状態に合わせて、最低限必要な酸素量しかとり込まなくなります。ますます心肺機能が落ちます。

このように、心肺機能が低下すると、筋肉は一段と衰え、当然、それといっしょに、基礎代謝力もどんどん落ちます。

こうなると、悪循環にはまります。**「老けるサイクル」にはまってしまう**のです。

ダラダラ過ごしているうちにますます心肺機能は弱まり、動くのがおっくうになって、いっそう体を使わなくなる。体を使わなければ筋肉もさらに衰え、基礎代謝力がもっと落ちていく……。

基礎代謝力が落ちるということは、エネルギー消費の能力が落ちるということですから、少し食べただけで太り、しかも体重が戻らなくなってしまいます。

老けるサイクルを断つ。筋肉をつけ、心肺機能を高める最良の方法は、前に述べたように、ウォーキングと筋トレの習慣を持ち、日常生活でも体をこまめに動かすことです。これによって、基礎代謝力がついてきます。

このように、心肺機能は筋肉とともに「若返る仕組み」に欠かせない働きです。運動不足が心肺機能を低下させるのですが、もう一つ、タバコも大敵です。喫煙が心臓の働きを弱め、肺をいためます。

心肺機能が高まると、血液のめぐりや呼吸する力が強くなります。全身の細胞や器官に酸素や栄養素が行き渡り、細胞や器官が若さをとり戻します。

すると、**肌にハリが戻り、髪にツヤが出てきます**。また内臓や器官の働きも良くなって、**体脂肪がますます減ったり便秘が解消されたり**と、体の中から若返ります。外見もきれいになります。

「いつの間にか老ける女」「一気に老ける女」見分け方

40代以降の女性が進む老化の道は、大きく三つに分けられます。

「いつの間にか老けている人」「一気に老け込む人」「ずっと若い人」の三つです。

第一の道は、「いつの間にか老けている人」。この老化タイプは、歳を重ねるにしたがって、体の内外に徐々に老化現象が現れます。

第二の道、「一気に老け込む人」は、ある時期に外見の変化、体力の衰えがドッと現れるだけでなく、糖尿病、高血圧、動脈硬化といった生活習慣病をともなうことが少なくありません。もっとも危ない老け方です。

このどちらの老化タイプにもおちいらず、第三の道、「ずっと若い人」になるには、今のうちから自分の老化タイプを知り、まず基礎代謝力を上げることからスタートします。

女性がはじめて自分の老いを意識するのは、おそらく30歳前後でしょう。「私もとうとう三十路《みそじ》越えか……」とため息をつく女性も、多いことと思います。

32歳のAさん（身長160センチ・体重58キロ）も、その一人です。

ここで、Aさんの体の老化タイプを出してみましょう。

現時点での老化タイプがわかると、40歳前後を迎えるころの彼女の体も予想がつきます。**この先どうやって「ずっと若い体」をつくっていけばいいか**が、ハッキリわかるということです。

老化タイプは、基礎代謝力で判定します（29ページ図表）。

前にも述べたように、基礎代謝力とは、「体重1キロあたりの基礎代謝量」。基礎代謝量を体重で割って求めます。

基礎代謝量や体脂肪率（体に占める体脂肪の割合）を測れる体重計（体組成計）を使います。体組成計がなければ、「年代別の平均基礎代謝量」（『日本人の食事摂取基準』2010年版・厚生労働省）を用いた計算式で、おおよその目安をつけることができます。

たとえばAさんの場合だと、次のようになります。

まず、30代（平均体重53キロ）の平均基礎代謝量1150キロカロリーをAさんの体重58キロで割ると、Aさんの基礎代謝力は19・8キロカロリーとなります。

これを基礎代謝基準値（平均体重1キロあたりの基礎代謝量＝基礎代謝力）と比べます。平均体重の人の基礎代謝力に比べて、Aさんの基礎代謝力がどのくらいかを見るのです。

30代の基礎代謝基準値は21・7キロカロリーですから、Aさんの基礎代謝力19・8キロカロリーは、30代の基準を大きく下回り、70代以上の基礎代謝力にあたります。**Aさんの体年齢は、70代以上**ということです。

ちなみに、基礎代謝量は「年代別基礎代謝基準値×自分の体重」の計算式でだいたいの見当がつきます。この計算式だと、Aさんの基礎代謝量は1259キロカロリー（21・7×58）。

計算式で求める基礎代謝量は、体重が年代別平均体重を上回れば上回るほど多くなり、基礎代謝力は低い数値が出ます。

逆に、体重が年代別平均体重を下回れば、基礎代謝力は高い数値が出ます。計算式で求める数値は、あくまでも目安である、と理解してください。

あなたの「基礎代謝力」はどれくらい？

基礎代謝力

「脂肪を燃やす力」＝「基礎代謝量」÷「体重」

◉年代別・女性の平均基礎代謝力

	18歳～29歳	30歳～49歳	50歳～69歳	70歳～
基礎代謝量（キロカロリー）	1,120	**1,150**	1,110	1,010
基礎体重（キログラム）	50.6	53	53.6	49.0
基礎代謝基準値（＝基礎代謝力）（キロカロリー）	22.1	**21.7**	20.7	20.7

『日本人の食事摂取基準』（2010年版・厚生労働省）

◉Aさんの場合（32歳／160センチ／58キロ）

基礎代謝力：1,150 ÷ 58 ＝ **19.8キロカロリー**

⇒上の表と照らし合わせると……
Aさんの体年齢は **70代以上！**

＊体組成計で自分の「基礎代謝量」と「体重」を測って計算すると、もっと正確に自分の基礎代謝力がわかります。

しかし、実際の基礎代謝量、基礎代謝力は同じ年齢、同じ体重でも、たとえば体脂肪が多いか少ないかなどの条件で変わります。体重が平均体重を上回っていても、体脂肪が少なければ、基礎代謝力は年代別の基礎代謝基準値より高くなります。

また、やせていても、体力不足や健康障害など体に何らかの変調があれば、基礎代謝力は低くなります。

体組成計は、アンチエイジングに心を配る人にはぜひ持ってほしいアイテムです。できれば、体組成計で筋肉と脂肪の分布を調べるのもいいでしょう。

Aさんは、体組成計でも、ほぼ同じような数値が出ています。

自分の基礎代謝力の数値が、年代別の基礎代謝基準値を少し下回るくらいならば、「いつの間にか老けていく」タイプですが、30代の基準値をはるかに下回って70代以上のレベル——。Aさんの老化タイプは、**「一気に老け込む」タイプ**だと言って間違いないでしょう。

このままいけば、Aさんの体は中年の仲間入りをするころ、老化現象が同時多発し、健康障害が起こる可能性も大、と推測できます。

したがって、Aさんが「ずっと若い体」になるためには、今すぐにでも、基礎代謝力を上げる習慣を、どんどんとり入れる必要があります。

他方、そろそろ更年期だからと健康に不安を覚えるBさん（45歳・身長155センチ・体重48キロ）のケースを見てみましょう。

Bさんの基礎代謝力は、体組成計で測定したところ「1100÷48＝22・9」と出ました。これは20代、それも10代に近いレベルですから、Bさんの体は「ずっと若い体」と言えます。

基礎代謝力のレベルがこのままなら、Bさんは更年期を迎えても、実年齢より10歳も20歳も若い体が期待できるでしょう。

といっても油断は禁物です。

現在の水準を維持するためにも、基礎代謝力を上げる習慣をつけておくに越したことはありません。

まずは**自分の体を知る**こと。これが、老いを食い止め、「ずっと若い体」をつくる基本です。

40代、「女と脂肪の関係」を見直してみよう

「太りやすい体」は「老けやすい体」――。

といっても、体脂肪を目の敵にしてはいけません。体脂肪には、とくに女性が健康を保つために重要な役割があります。

体内にある脂肪は、種類や蓄えられている場所によって呼び分けられています。

ここでは、三つの脂肪、**「体脂肪」「皮下脂肪」「内臓脂肪」**を覚えておきましょう。

「体脂肪」とは、体内にあるすべての脂肪組成の総称。エネルギーを蓄える役目があり、飢えに備えた体本来の仕組みを支えています。

食料が手に入らないときに備えて、体は食事でとり入れたエネルギーを脂肪のかたちに換えて蓄えます。使うときは節約しながら消費します。たとえ2、3日、食べられなくても生きられるのは、この機能があるからです。

また体脂肪には、保温・断熱や、子宮などの臓器を守る働きもあります。内臓を守るクッション材のようなものです。

読んで字の如く、「皮下脂肪」は皮膚の下に溜まる脂肪で、10代から20代にかけての若いころにつきやすいのが特徴です。

一方、「内臓脂肪」は内臓の周りに溜まる脂肪です。40代以降につきやすく、動脈硬化などの生活習慣病に結びつきやすいという恐ろしい側面があります。いったん生活習慣病にかかってしまうと、体の老化は一気に加速します。

同じ内臓脂肪の肥満でも、やっかいなのは**「隠れ肥満」**。見た目は太っていない人が、加齢にともなう女性ホルモン（エストロゲン＝卵胞ホルモン）の減少によって内臓脂肪をつけてしまうケースです。

この隠れ肥満では体重があまり増えず、体型も変わりません。そのため、内臓脂肪が体内に溜め込まれているのにまったく気がつきません。生活習慣病にかかってはじめて隠れ肥満だったことがわかる、というケースが珍しくないのです。

隠れ肥満を見抜く唯一の方法は、体組成計で、体脂肪率を測ること。

体全体に占める体脂肪の割合を表すのが、体脂肪率です。25パーセントを超えると軽い肥満とされますが、11〜14パーセント（男性は3〜5パーセント）以下だと、正常な健康状態を保つのがむずかしくなります。

標準値は20〜25パーセント。30代・40代の女性の平均体重は53キロですから、標準値（25パーセント）だと、体脂肪の量は約13キロ。なんと、2、3歳の幼児ほどの重さの脂肪が、お腹に入っていることになります。

「13キロも体脂肪がついているのが標準？」——ぎょっとされた方もいるでしょうが、冒頭でも述べたように、体脂肪は、あまり目の敵にするものではないのです。

体脂肪は、女性ホルモンの分泌を促します。だから、女性にとって、体脂肪は重要な役割も担っているのです。

体脂肪率が21・7〜23パーセント以下だと、月経周期がくずれます。さらに10パーセント台だと卵巣が正常に働かなかったり、出産に差し障りがあったりします。

ですから、基礎代謝力を標準以上に高めながら、体脂肪率を標準値以内に保つ。これが、**「ずっと若い体」をつくるために大切な条件**です。

「太りやすい体」は「老けやすい体」だからといって、いきなり過度なダイエットには走らないでください。

女の人生「四つの太りどき」とは？

女性の一生には、**体が勝手に太ろうとする「太りどき」**が4回あります。「思春期」「妊娠・出産期」「中年期」「閉経後」——この四つの時期、体の要求、体の機能の衰えで、「食事でとるエネルギー」が「体を動かして消費するエネルギー」を、大きくオーバーします。これが「太りどき」です。

最初の太りどきは、10代前半から後半にかけての思春期。

丸みをおびた女性らしい体つきになるために、体が体脂肪を要求します。

女性ホルモン（エストロゲン）の働きで、腰周りやお尻、太ももなどの下半身に皮下脂肪がつきます。この時期は背が伸び、体重も増える成長期でもあるので、よく食べるようになります。このように、この時期は、必要以上に脂肪がつきやすい体になります。

20代は、就職、結婚などの生活環境の変化もあり、体が不安定な状態になります。また、妊娠に備えるために、エネルギーを溜め込みやすい体になっていきます。

こうして次の太りどき、妊娠・出産期、そして授乳期を迎えます。

妊娠中は、胎児に栄養を与えようと食欲が旺盛になり、摂取エネルギーが大幅に増えて脂肪が蓄えられます。また、冷えや外部の衝撃から子宮を守るために、とくに下半身に皮下脂肪を必要とします。授乳期も、やはり同じです。

同時に運動不足になりますから、基礎代謝力は想像以上に落ち込んでいます。出産後、太った体が戻らなくなり、これを機に、その後はひたすら肥満の一生を歩む人が少なくありません。

肥満は、脂肪を蓄える脂肪細胞のサイズが大きくなって起こります。

ダイエットで脂肪細胞を通常のサイズに戻せますが、食事制限や過激な運動でのダイエットはおすすめできません。出産直後・授乳期の体を考えると、体をいたわる意味でも、まず、**基礎代謝力を徐々に上げていく**ことをすすめます。

最初と2回目の太りどきは、「脂肪を蓄えなければ」という体の要求に、基礎代謝力の低下という老化現象が重なって起きています。

女40代が「太ってはいけない」理由

年代		溜まる脂肪
10代（思春期）	・女性ホルモンの増加 ・下半身に脂肪がつく ・成長の一過程として必要	皮下脂肪
20代（妊娠・出産期）	・妊娠・出産に備えてエネルギーを溜め込みやすくなる ・下半身に脂肪がつく ・妊娠・出産のために必要	皮下脂肪
30代半ば～40代半ば（中年期）	・基礎代謝力の低下 ・女性ホルモンの分泌量の低下 ・脂肪が、お尻からお腹に移る	内臓脂肪
40代半ば～60代（閉経後）	・ホルモンバランスの乱れ ・生活環境の変化（時間的・経済的ゆとりができて、ぜいたくが許される） ・心肺機能の低下 ・運動量の低下	内臓脂肪

絶対に脂肪をつけてはいけない！

基礎代謝力は10代半ばをピークに、どんどん落ちていっているからです。体脂肪の溜めすぎは、老化を一気に加速させます。それも、「内臓脂肪」には要注意です。

第3次の太りどきは、中年に仲間入りする40歳前後です。

30代半ばを過ぎるころから、食事の質と量が30歳前後のころとあまり変わらないのに、基礎代謝力が落ち、摂取エネルギーと消費エネルギーのバランスが大きくくずれます。とり込んだエネルギーを、十分に使い切れなくなるのです。余分な摂取エネルギーは皮下脂肪として、おもに下半身に蓄えられてしまいます。

このころ、女性ホルモンの分泌量も減りはじめます。皮下脂肪がたっぷりついた体は、別の貯蔵場所を求めて、小腸をつなぐ腸間膜や大網《だいもう》（腹膜のひだ）に体脂肪をつけます。**体脂肪のつく場所が、お尻からお腹に移る**のです。これが内臓脂肪です。

女性ホルモンには、内臓脂肪をつけにくくする働きがあります。その女性ホルモンの分泌量が低下するのですから、「待ってました」とばかりに、体脂肪はお腹に溜まってしまいます。基礎代謝力も落ちているので、なおさらです。

基礎代謝力と女性ホルモンの分泌の低下によって起こる肥満が、「中年太り」なのです。

女性の一生、最後の太りどきは、閉経後。

50歳前後は、閉経を迎える時期。その前後の10年間ほどが、更年期にあたります。更年期を迎えると、女性ホルモンの分泌量が急激に減少し、閉経後はほとんどなくなります。

閉経後の肥満は、ホルモンバランスと生活環境にその原因があります。

妻であり母であれば、子どもが独立する年代。経済的にも時間的にもゆとりが生まれ、好きなものを食べたり、ぜいたくな食事をしたりする機会が増えます。

その一方で、心肺機能が低下します。運動量も極端に減り、皮下脂肪も内臓脂肪も、たっぷりつきます。中年期、更年期での肥満は「内臓脂肪」によるもので、お腹がポッコリ出てくるケースが一般的です。

このように、40代は、まさに「太りやすく老けやすい」時期です。

とくに中年期、更年期での肥満は、内臓脂肪を溜め込みます。**絶対に、脂肪を溜めてはいけない太りどき**なのです。

「つけていい脂肪」「絶対ダメな脂肪」どこが違う?

40代の体が、絶対に増やしてはいけない脂肪があります。

内臓脂肪――生活習慣病のもとになる体脂肪です。つきやすく減らしやすいので、「普通預金」と表現されます。

内臓脂肪による肥満は、「内臓脂肪型肥満」。お腹だけがポコッと出てきます。そのかたちから、**「リンゴ型肥満」**と呼ばれます。お腹がパンパンに張っているので、内臓脂肪はつまめません。

悪役扱いの内臓脂肪ですが、余ったエネルギーを蓄えるだけでなく、筋力を最大に使うときのエネルギーになります。血液内の健康を保つのにも、大きな役割を果たしています。

内臓脂肪をつきにくくする働きもある女性ホルモンは、閉経後、分泌がほとんどなくなるので、体内は内臓脂肪を呼び込む環境が整います。

中年期、更年期の「太りどき」では、運動不足や高カロリーの食事、不規則な食生活で、あっという間に内臓脂肪が蓄えられてしまいます。生活習慣病の引き金になるのが、この脂肪です。

内臓脂肪型肥満でも、腹周り（おへその周囲）が90センチ以上（男性は85センチ以上）あり、高血圧や脂質異常（血液中にコレステロールや中性脂肪が異常に多い症状）、高血糖（血液中に糖の量が多い症状）のうち、二つ以上の症状が重なると、「メタボ（メタボリックシンドローム）」と認定されます。

糖尿病や高血圧、動脈硬化、心臓病といった生活習慣病が引き起こされやすくなった状態です。

一方、皮膚の下に溜まる皮下脂肪は、皮膚のすぐ下につく体脂肪で、指でつまめます。**腰周りやお尻、太ももなどの下半身につきやすい**のが特徴です。

女性につきやすく、美しいボディーラインをつくるのに大切な役割を果たします。でも、増えすぎると、逆に美容上の悩みの種になります。心臓やひざに負担をかけますが、生活習慣病には直接、結びつきません。

皮下脂肪による肥満は「皮下脂肪型肥満」。下半身が丸みをおびて豊かになることから、**「洋ナシ型肥満」**とも言われます。

皮下脂肪は緊急時に備えて蓄えられるエネルギー。長年にわたり少しずつ蓄積され、なかなか減りにくいので、「定期預金」と言われています。

内臓脂肪型肥満か、皮下脂肪型肥満かは、ヒップに対するウエストの比率（ウエスト÷ヒップ・単位はセンチ）で見分けます。

値が「0・8以上」であればリンゴ型肥満、「0・7以下」だと洋ナシ型肥満です（判定基準は佐賀大学医学部小児科による）。ただし、隠れ肥満の場合だと見分けられません。隠れ肥満を見抜くには、体組成計で体脂肪率を測ります。

前にも触れたように、体脂肪をゼロにすることはできませんし、ある程度は必要です。第1次、第2次の太りどきのように、体が皮下脂肪を必要とする時期もあります。

ただし、内臓脂肪は、最小限にとどめておかなければなりません。

といっても、内臓脂肪を減らすのは、それほど大変なことではありません。じつは、**内臓脂肪は運動や食事制限で比較的簡単に落とせる**のです。そして内臓脂肪が落ちれば、皮下脂肪も減ってきます。

とくに食事面では、脂質と糖質をひかえ、カロリーを抑えた良質なたんぱく質をとります。同時に、肝臓の機能を高める食材、大豆と酢を食生活にとり入れれば、ポッコリと蓄えられた内臓脂肪も、**みるみる減っていく**はずです。

「最近疲れやすい」と思ったら、すぐ試したいこと

40代が太りやすく、老けやすいのは、「疲れやすいこと」も大きな原因です。疲れやすい体――「クタクタ体」は、肥満と老いをまとめて呼び込むのです。

ここ数年、働く40代女性のほぼ8割が慢性的な疲れを訴えています。20代、30代よりも高い数値を示しています。

疲労感を健康状態の目安にしている割合でも、年代別でダントツ、というデータもあります。

40代女性は、本当に疲れているようです。あなたは、いかがでしょうか。

疲労は筋肉量、心肺機能と密接な関係にあります。

もともと、女性は妊娠・出産に備えて体脂肪を蓄える必要があります。女性が男性より体脂肪が多く、筋肉量が少ないのは、そのためです。これが、女性を、男性よりもクタクタ体になりやすくしています。

筋肉量が少ないと基礎代謝力が落ちて、体は熱がつくりにくくなります。熱がつくりにくくなった体は、血流を悪くします。疲労は尿酸などの疲労物質が体内に溜まって起こりますが、血流が良くないと疲労物質は体外に排出されません。

この状態に心肺機能の低下が加わると、さらに血流が悪くなります。疲労の悪循環が、さらに強まります。こうして「疲れやすい体」がつくられます。

そして、筋肉量が少ないと、基礎代謝力も低くなります。前にも述べたように、基礎代謝力の低い体は、体脂肪を燃やしにくい体、つまり「太りやすい体」なのです。また、筋肉量が少なく、熱がつくりにくいと、栄養や酸素が全身に行き渡りません。新陳代謝が悪くなり、細胞や器官から若さを奪います。

こうした理由で、女性は男性よりずっと、疲れやすくなっています。そして**「疲れやすい体」は、まさに「肥満と老いを誘う体環境」**と言えるのです。

「いつもなんとなくだるい」「疲れが抜けない」と感じている人は、二の腕を触ってみてください。プヨプヨとやわらかい——もしそうだとしたら、老いと肥満を同時に呼び込むクタクタ体になっている可能性が高いと言えます。

「プヨプヨの二の腕」は、クタクタ体の一大特徴なのです。

筋肉は加齢とともに質が低下し、量も減りますが、食事でとるエネルギー量が消費エネルギー量をオーバーしていれば、体重は減ることもなく、体も細くなったりしません。減った筋肉はその分、体脂肪に置き換わります。

腕の筋肉はそれほど減りませんが、二の腕がプヨプヨになります。

重さが同じなら、体脂肪は筋肉よりも2割ほど大きいので、腕は太くなります。

二の腕プヨプヨは、体が疲れやすくなっている証拠です。肥満と老いを呼び込む兆候でもあるのです。

中年になると、「一気に老け込む人」と「ずっと若い人」に、ハッキリ分かれます。疲れやすい体かどうかで、仕分けられるのです。**ここが、勝負のしどころ**です。

「疲れ知らずの体」になるにはバランスの良い食事、質の良い睡眠、軽い運動の習慣、そしてシャワーでなくお風呂といった、ごく基本的な生活習慣の改善で十分です。

もう一つ。休憩をじょうずにとることも大切です。

仕事や家事、運動は、時間とともに体力や体の機能を低下させます。必ずひと区切りをつけて、リラックスしたり横になったりする必要があります。

このとき体力、体の機能は回復します。それどころか、**休憩前より高まっています。**これを「超回復期」と呼びます。休憩をじょうずにとることで体力もつき、作業能力はグンとアップします。

「体を温める」と女は老けにくくなる！

基礎代謝力が弱い人は、体温が低い。

健康な人の体温は36度台で、36・8度が平均です。ところが最近は、35度台の低体温の人が増えています。

健康的な体温からほんの1度下がるだけで、基礎代謝力は、じつに12パーセントも低下してしまうのです。

仮に平熱36・5度の40代女性（体重、基礎代謝量ともに40代の平均）の体温が35・5度になった場合、基礎代謝量は、一気に138キロカロリーも下がります。これは、ほぼ大福1個に相当するカロリーです。

言い換えれば、**毎日、大福を1個よけいに食べている**ことになります。1ヵ月で約580グラム太ります。

だから低体温の人の体は、「太りやすく、老けやすく」なります。

体温は、内臓の温度です。これが適温に保たれていると、体の機能が正常に働くようになっています。

基礎代謝力を下げる以外にも、低体温は、体にさまざまな悪影響を及ぼします。

免疫力と新陳代謝の低下も、その一つ。

免疫力は、わかりやすく言うと、病気にかからないための抵抗力です。病気にかかった場合、それに打ち勝つ力でもあります。新陳代謝は、体に必要なものをとり入れて不要になったものを排出し、新旧の入れ替えをする働きです。

基礎代謝力が落ちるだけでなく、免疫力、新陳代謝が低下することで、低体温は

「老けやすい体」をつくってしまうのです。

低体温の一番の原因は、食生活の乱れ。なかでも野菜不足が大きく関係しています。

体はごはんなどの糖質からエネルギーや熱をつくり、体温を保ちます。糖質からエネルギーに変えるとき、ビタミン・ミネラルを必要とします。

しかし、野菜をあまり食べないとビタミン・ミネラルが不足してエネルギーや熱がつくれなくなり、体温が上がらなくなってしまうのです。

まず、摂取した糖質をきちんとエネルギーに変えられるように、毎日、野菜をたっぷりとりましょう。野菜の多くはビタミンやミネラルの宝庫です。

また、**体を温める食べ物や飲み物も、積極的にとる**ようにしましょう。

中医学（中国の伝統医学）では、森羅万象を「陰」と「陽」に分け、そのバランスを重要視しています。

陽は「動」で、活動や熱の象徴。陰は「静」で、休息や寒さを意味します。陽が過ぎれば、体はほてり、喉が渇きます。また、イライラ感がつのったり、不眠になったりします。

陰が過ぎれば、体はエネルギー不足になり、活力が乏しくなります。また、冷えた

「中国医学の知恵」――体を温める食べ物

体を温める食べ物

野　菜：ニンジン　ショウガ　長ネギ　ニラ
ニンニク　カボチャ
魚　介：イワシ　エビ　ウナギ
穀　類：玄米
果　物：リンゴ　アンズ　サクランボ
調味料：みそ　黒砂糖　ハチミツ　トウガラシ
ワサビ
飲み物：紅茶　ウーロン茶
その他：赤身の肉　タマゴ　チーズ　納豆　黒豆
クリ　ゴマ

体を冷やす食べ物

野　菜：トマト　キュウリ　レタス　ナス　モヤシ
魚　介：白身魚　カニ　クラゲ　アワビ
穀　類：白米　うどん　白パン
果　物：ミカン　ナシ　スイカ　メロン　イチゴ
調味料：白砂糖　食塩
飲み物：緑茶　コーヒー　牛乳　ビール
その他：海藻類（のり　ヒジキ　コンブ）

＊体を冷やす食材は、温める食材といっしょにとると冷やす作用が弱まります。

り、顔色が悪くなったりします。低体温の人は、陰の体質です。

食べ物も同様で、体を温める「陽の食べ物」と、冷やす「陰の食べ物」があります（前ページ図表）。冬、あるいは寒い地方でとれるものに陽の食べ物が多く、夏、あるいは暑い地方でとれるものに陰の食べ物が多いようです。

ただし、体を冷やす陰の食べ物でも、煮るなど熱を加えることで、体を冷やす作用を弱めることができます。陽の食べ物といっしょに食べるのも、その作用を弱めます。

逆に、陽の食べ物は、冷たくすると陰性化します。

これらの知識も毎日の食生活に活かし、**内側から体を温めて**いきましょう。

40代美人の条件――まず「三大症状」に要注意！

手足が冷える。肩がこる。下半身がむくむ……。

女性にとってありがたくない三大症状です。いずれも血液の流れが悪くなって起こるのですが、放っておくと「体を一気に老けさせる」誘因になります。

今や成人女性の二人に一人が悩んでいると言われる冷え性。これが、あとの二つの肩こり、むくみの原因にもなっています。つまり「体の冷え」を何とかすれば、三ついっしょに退治できるのです。

体は冷えると、熱をできるだけ発散させないように血管が収縮し、血液の流れが悪くなります。そうなると、筋肉が熱をつくろうとして、収縮します。その結果、筋肉が緊張して収縮したままになります。これが、肩こりです。

ただでさえ、肩は5キロほどもある頭を支えています。毎日、肩から首にかけての筋肉を酷使しているうえに、冷えも重なれば、肩こりはなかなか治りません。

むくみは体内の水分が増えて、細胞や組織間に溜まった状態です。「水をたくさん飲む」のが、美人の条件のように言われることも多いようですが、**水分のとりすぎが、むくみを引き起こしている場合も少なくない**のです。水は1日1～1・5リットルほどが適量です。

むくみは、重力によって水分が溜まりやすい下半身、とくに足首やすねなどに起こりやすくなっています。体が冷えて血液の流れが悪くなると体内の水分調整がくずれ、水分の排出がスムーズに行なわれません。その結果、水分が溜まってしまうのです。

これらの不調を導く冷え性のおもな原因は、自律神経の乱れと新陳代謝の低下。

冷房が効きすぎた部屋に長時間いると、自律神経が乱れます。自律神経には体温調節の働きがあります。手足が冷えると血量を増やし温めようとしますが、乱れた自律神経は、その働きを弱めてしまいます。

また、自律神経の乱れは、女性ホルモンの分泌低下につながります。ホルモンバランスがくずれると血行が悪くなり、やはり体は冷えてしまいます。

夏は冷房をひかえ、電車や会社など冷房が避けられないところでは、必ず長そでを1枚はおるようにしましょう。体を締めつける服や下着も、血行や新陳代謝を悪くし、体を冷やします。極力、避けてください。

生野菜の食べすぎも、体を冷やす原因になります。もちろん、生野菜には栄養面で良い点がたくさんありますが、生野菜サラダを主食代わりにするような食べ方には注意が必要です。

食べ物でおすすめしたいのは、**ビタミンEを多く含むもの**。ビタミンEは、血行を良くして、体を温めてくれます。ナッツ類、カボチャ、アボカド、ウナギなどに多く含まれます。

冷え退治は、まず基礎代謝力をアップして「燃える体」をつくるのが基本です。と同時に、食生活や服装などの日常生活にも気をつけて、体を温めるといった冷え対策をとることが大切です。

血行促進！「女性の魅力を高める」ストレッチ

体脂肪は、基礎代謝により睡眠中も燃えています。

体脂肪は、酸素を使って燃えます。睡眠中に血液の流れが悪いと、酸素が体中に行き渡りません。就寝前、血液の循環を良くしておく必要があります。

また、深い眠りについているときに分泌される成長ホルモンが、食事でとったたんぱく質が筋肉になるのを助け、脂肪が溜まるのを防ぎます。ということは、**睡眠中がもっとも体脂肪が燃える時間帯**と考えられます。そのためにも、就寝前に血液循環を良くしておかなければなりません。

寝る前のストレッチは、「太らない体」「老けない体」をつくる1日の習慣の締めくくりです。

ストレッチは2種。上半身をメインに伸ばすものと、下半身をメインに伸ばすものです。上半身のストレッチは1日1回、1セットでかまいません。下半身のストレッチは、1日1回、8セット行ないます。

ストレッチは入浴後か就寝前がベストですが、日中でも「少し疲れたな」と思ったときに行なうと効果があります。

ストレッチの習慣を持てるようになったら、自宅でリラックスしているときなど、首すじ、背すじ、あるいは下肢や腕を伸ばしてみましょう。自己流でいっこうにかまいません。

ときには、いろいろなストレッチを混ぜて30分ほど行なってみます。

ストレッチには、リラクゼーションの効果があります。血行を良くするストレッチをはじめ、自己流でも全身の筋肉を順番に伸ばしていくと気分が安定し、**女性の魅力を高める各種のホルモンの分泌が良くなります。**

また、全身の血行を促進し、体を温めるので、冷え性やむくみ、肩こりの解消に役立ちます。

むくみは冷えも原因ですが、長時間の立ち仕事やデスクワークなど、下半身の特定の筋肉が収縮して血行がとどこおることも、一大原因です。

人間の頭の重さは、約5キロあります。両腕は、体重の8分の1程度の重さ。しかも、腕はものを持ち上げたり、しょっちゅう動かしたりします。

頭を支える肩、腕とつながる肩。血行不良だけでなく、これも肩がこる大きな原因になります。

重みと使いすぎで、首のつけ根の筋肉が緊張して血管が収縮します。血行不良を起こすと、酸素が不足して筋肉内に疲労物質が溜まり、筋肉がこわばります。こうして肩こりが起こるのです。

肩こりは筋肉疲労だけではなく、運動不足や同じ姿勢を続けるストレス、猫背など・姿勢の悪さなどなど、さまざまな要因がからみ合って起きます。

基礎代謝力を高めてくれるうえに、こうした**不快な症状を一挙に解消**してくれるストレッチ。ぜひ、今日から試してみてください。

体をポカポカにするストレッチ法❶

上半身

①足を肩幅くらいに開いて立ち、両手の甲を外側に向けてうしろで組みます。
②胸を張るようにして両肩をうしろに引き、ひじをピンと伸ばした状態で、息を吐きながら組んだ両手を上げます。
③胸と肩が気持ちよく伸びたら、ゆっくりと両手を下ろします。

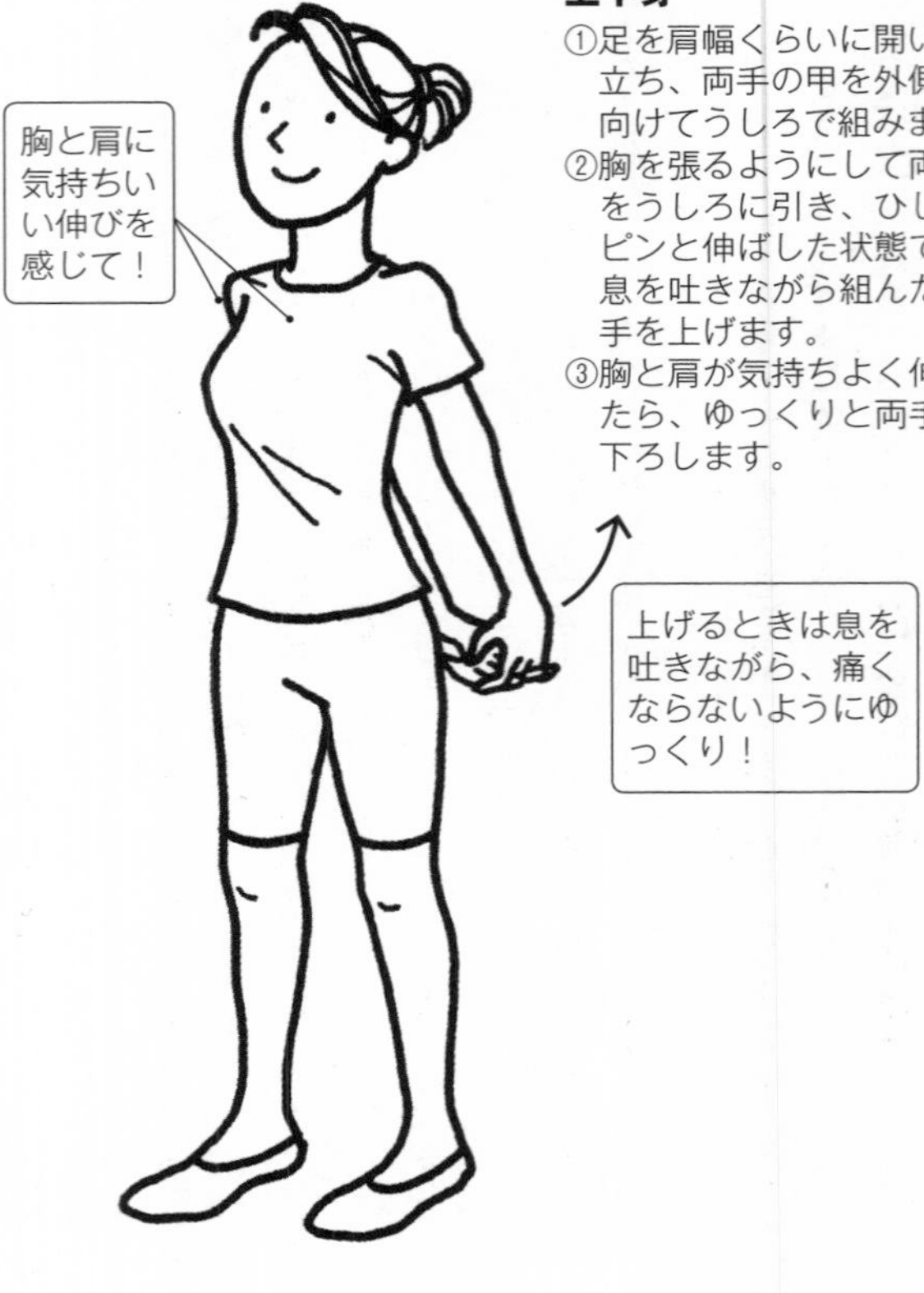
胸と肩に気持ちいい伸びを感じて！
上げるときは息を吐きながら、痛くならないようにゆっくり！

体をポカポカにするストレッチ法❷

下半身

①足を肩幅くらいに開いて立ち、両手をへそのあたりで組み、ひじを張ります。
②そのままの姿勢で、両肩と両足のかかとを同時に上げ下げします。これを８～10回くり返します。

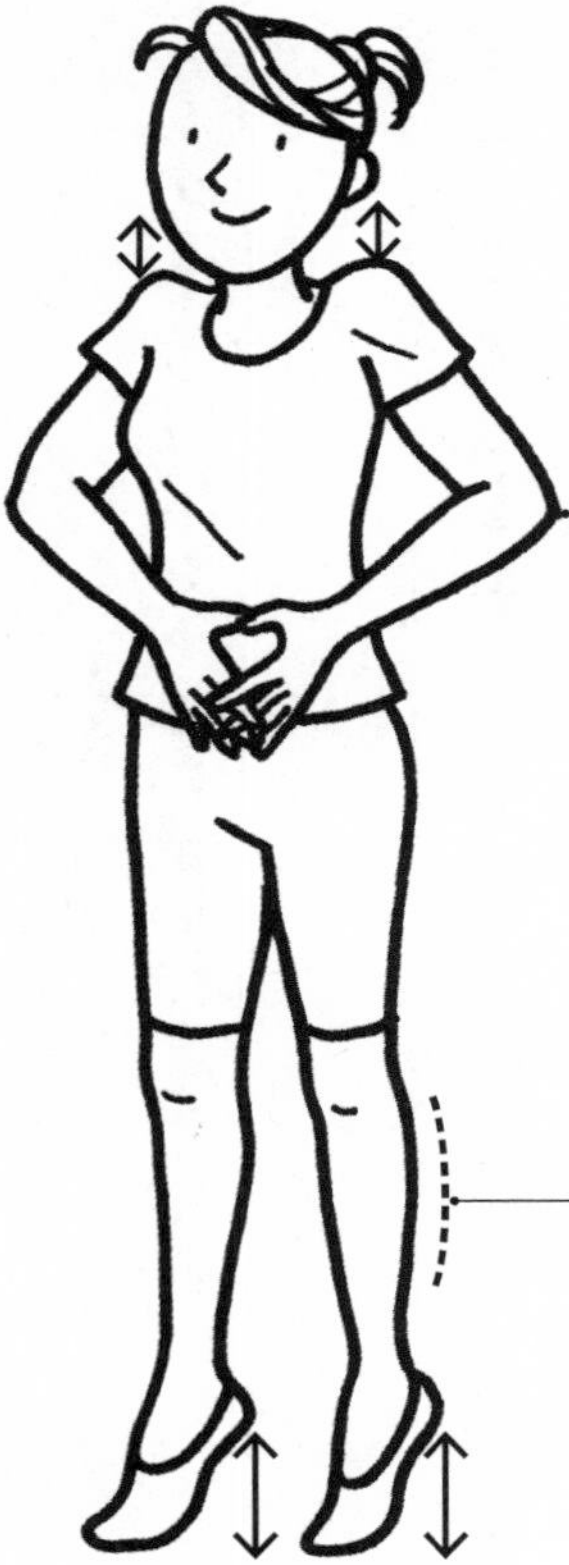
両ひじはピンと張る！
ふくらはぎに心地よい刺激を感じて！

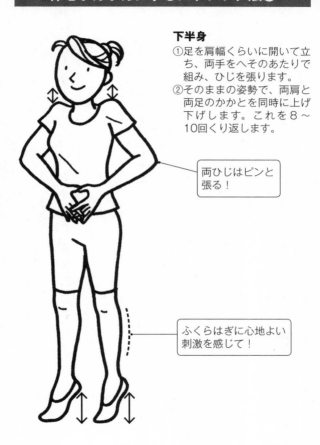

40代からの「サプリメントとの賢いつき合い方」

冷え性改善の、強力サポーターになってくれるのがサプリメントです。

私たちは食事でビタミンやミネラルをとっています。ところが、ビタミン・ミネラルの宝庫である野菜のビタミン・ミネラル量が50年前の野菜と比べると、8分の1から20分の1に落ちていると言われています。たとえば、トマトに含まれるビタミンCは、10分の1にまで減っています。

そこで、不足しがちなビタミンやミネラルを補うのに、サプリメントの出番になるのです。

サプリメント活用法の基本は、マルチ（総合）ビタミンとマルチミネラルを飲むこと。これで、**不足しがちなビタミンとミネラルを、まんべんなく補う**ことができます。

ビタミンは、補酵素といって酵素の働きを助けるもの。酵素は細胞でエネルギーをつくったり、筋肉を動かしたりと、いっさいの生命活動にかかわっています。もし、酵素の働きがなければ、生きることはできません。生命活動の源なのです。この酵素の働きを助けるのが、ビタミンの役割です。

ミネラルは、金属元素です。ミネラルは体の働きを正常に維持したり調整したりするのに必要な栄養素。鉄分、マグネシウム、亜鉛、カルシウム、カリウムなどがそうです。

マルチビタミンとマルチミネラル。この二つのサプリメントを土台として、あとは、それぞれの症状に応じたサプリメントを加えます。家の修理で言えば、**基礎部分をきちんと整えてから、部分改修をしていく**というイメージです。

冷え性や、むくみ、肩こり対策なら、ビタミンEとイチョウ葉エキスのサプリメントをおすすめします。

前に触れたように、ビタミンEには、血行を良くする効果があります。ナッツ類、カボチャ、アボカド、ウナギなどの食べ物からとってもいいのですが、これらの食べ物が苦手な人、あまりたくさん食べられない人などは、サプリメントを試してみてください。必要量を、無理なく、つねに摂取できます。

ここで一つ、注意していただきたいことがあります。

これらのサプリメントは冷えを防ぎ、「ずっと若い体」をつくる強力サポーターですが、けっして食事の代わりにはなりません。あくまでも、**バランスの良い食生活が前提**です。

言うまでもなく、食事を抜いたりお菓子で食事をすませたりして、「栄養はサプリメントにお任せ」というのは、もってのほかです。

即効！「さびる体」「べとつく体」「しぼむ体」対策

体がさびる。
体がべとつく。
体がしぼむ。
老化を引き起こす原因です。

体が「さびる」とは、悪玉酸素の「活性酸素」によって細胞が「酸化」すること。切ったリンゴを放っておくと、茶色く変色します。同じことが体に起こるのです。

体は食材からとり込んだ糖質や脂質に、外気からとり込んだ酸素を反応させて、生きるためのエネルギーをつくり出しています。ところが、酸素をとり入れるたびに、老化や病気に大きく関係する活性酸素が発生します。生きている限り、活性酸素の発生は避けられません。

体は活性酸素を毒性の低い物質に変えて、消去してくれる酵素があります。20代の若い体なら消去酵素は十分に持っていますが、40代になると減っていきます。

若い体をつくるためには、消去酵素の減り具合を抑え、減った分を補う必要があります。**食材から抗酸化物質をとり入れる**ことで、それは可能です。

体が「べとつく」とは、「糖化」のこと。体内にあるたんぱく質と、食事でとった糖が結びつき、糖化したたんぱく質が、体内に溜まる現象です。

たんぱく質は、体を構成する主要な成分です。脳をはじめとした体内の情報伝達も、たんぱく質が行ないます。しかし、たんぱく質は糖化で変質してしまいます。これが老化を速める大きな一因になります。

糖は大切なエネルギーの一つですが、とりすぎると糖化作用が過剰に働きます。老化とともに、太りすぎの原因にもなります。

体が「しぼむ」とは、「ホルモン分泌の変化」による体の変調のことです。ホルモンは、体の組織や器官の働きを指示する微量な物質です。ホルモンの分泌が低下すると筋肉や水分が減ります。臓器の容量や皮膚の細胞が小さくなります。だからといって、体が小さくなるのではありません。いずれ老年になれば、本当に体もしぼむでしょうが、中高年の時期では、逆に体脂肪が増えてきます。

ホルモンは100種類以上あるとされていますが、なかでも、DHEAホルモンは女性ホルモンや男性ホルモンの源になる重要なホルモンです。

おもな働きは免疫力の強化、抗ストレス。筋肉の増強、筋力の向上、記憶力の改善、性機能の維持・改善の作用もあり、さらには、発がんの抑制、骨粗しょう症の予防まで効果があることがわかっています。

若々しさを保つ作用にかかわっているので、DHEAは、**若返りホルモン**と呼ばれています。加齢とともに分泌量が低下するのですが、高齢でも元気で若々しい人は、血中濃度が20代と変わらないという研究成果があります。

さびる、べとつく、しぼむ——これら老化の三大要因は、微妙にからみ合って基礎代謝力をはじめ、この後にお話しするホルモン力、免疫力を低下させます。しかし逆に、食、運動、睡眠の生活習慣を見直して基礎代謝力などを高めると、これらの老化の要因はその影響を弱めます。

「ずっと若い体」をとり戻し、謳歌しつづけるためにも、まずは基礎代謝力を高めることから始めて、老化を抑え込む必要があります。

2章

実感！　女性の体は「3週間」でよみがえる！

五つのホルモン——「女の若々しさ」に欠かせない力

「ホルモン力」——**女性を若々しく、いきいきさせる**のには欠かせない「力」です。

ホルモンは、脳内や卵巣などの内分泌腺（ホルモンを分泌する器官）でつくられ、体の成長や働きを指示・調節する微量な物質の総称です。その数は100種類以上あるとされ、体温を調節したり血液の流れを調節したりします。血管を通して分泌されます。

肌がハリや弾力を失うといった老化現象は、ホルモンの分泌量が減ってしまうことが、大きくかかわっています。

生命にかかわるホルモンは、体のさまざまな器官から必要に応じてそのつど分泌されます。しかし、若さや美しさを保つために必要なホルモンは、30歳をピークにどんどん分泌量が減っていきます。その結果、肌からはみずみずしさが消え、弾力もなくなってたるみが出てきます。

ここでは、とくに若さや美しさに欠かせない五つのホルモンをとり上げます。「女性ホルモン」「男性ホルモン」「成長ホルモン」「メラトニン」「ＤＨＥＡ」の五つです。

女性ホルモンは、女性の心と体全体にかかわっており、「女性らしさ」のもとになるホルモンです。卵巣から分泌されます。

男性ホルモンは、基礎代謝力を高めるのに欠かせない筋肉をつくるホルモンなので、**「太らない体」「歳をとらない体」づくりの決め手**になります。女性の場合は腎臓の上にある副腎や脂肪組織から分泌されます。

成長ホルモンは、肌のハリやツヤをコントロールするホルモンです。脳下垂体から分泌されます。

メラトニンは、睡眠にかかわる重要なホルモン。脳の松果体と呼ばれるところから分泌されます。

そしてＤＨＥＡは、代表的な若返りホルモンです。男性ホルモンと同様に副腎から分泌されます。

これらのホルモンがふんだんに分泌される体は、老いを知らない「ずっと若い体」なのです。

じつは、そんな体になるのは、さほどむずかしいことではありません。食事、運動、睡眠の習慣をちょっと変えてみるだけです。**3週間も続ければ、確実な変化を実感**できるでしょう。

反対に、ホルモン力を妨げる四つの悪習慣というのも、あります。

一つは、ストレス。細かいことを気にする人、すぐにクヨクヨしがちな人は、ホルモン分泌が低下しているはずです。少し自分を見つめ直して、じょうずにストレス発散する方法を考えてみてください。

二つめは、太りすぎ、およびやせすぎ。太っている人は、無理なく脂肪を落としていきましょう。ただし、ストレスになる厳しい食事制限やトレーニングは禁物です。やせている人は、筋肉を鍛えながら健康的に増量することです。いずれも、本書で紹介する食事法や、体の動かし方を参考にすれば、簡単に実現できます。

三つめは、激しい運動。筋肉を鍛えれば基礎代謝力は高まりますが、体を酷使するようなハードな運動はホルモン分泌を低下させ、かえって若返りの障害になります。

そしてなんと言ってもホルモン力の害になるのは、四つめの喫煙です。タバコを吸うと血管が収縮し、血液が体のすみずみまで行き渡らなくなります。これはホルモンが行き渡らないということ。

しかもタバコに含まれるニコチンの影響で体内の悪玉コレステロールが増え、中性脂肪が増加します。喫煙する方は、タバコは太るもとでもあるのです。**「タバコ１本でホルモン力が下がり、脂肪が増える」**と思って、すぐにやめましょう。

納豆・豆腐・みそ……美人ほど「大豆をよく食べる」？

更年期、その後、すてきなシニアライフを送れるかどうかは、このときの体のケアで決まります。

前に述べたように、更年期は、一気に内臓脂肪を溜めやすい時期であり、それにともない血管障害などの生活習慣病にかかりやすくなる時期でもあります。

閉経を迎える前後10年ほど、多くの女性が、更年期障害で悩みます。突然、体が熱くなるホットフラッシュや発汗、動悸、頭痛、不眠、情緒不安定などの不快な症状が引き起こされます。

すべては、女性ホルモン（エストロゲン）の分泌の低下が原因です。

さらに、女性ホルモンには、骨からカルシウムが溶けだすのを防ぐ働きもあるため、分泌量が減少すると骨粗しょう症になる危険も増します。

閉経後、体質が大きく変化するのです。

更年期をじょうずに渡り切るには、30代後半から40代の「プレ更年期」の生活習慣が、大きなカギになります。肥満、生活習慣病を寄せつけないために、筋力をつけて、基礎代謝力が高まった体にすることが肝心です。**体質の変化を防ぐ**のです。

それでも、人によって程度の差はあれ、更年期障害は起きます。

更年期障害に悩まれている人に、私のクリニックでは、まずＤＨＥＡのサプリメントを処方します。ＤＨＥＡは、女性ホルモン、男性ホルモンのもとになるホルモンであり、前項で触れたとおり「若返りホルモン」と言われています。

これだけで不快な症状が解消する人が、少なくありません。

症状が治まらない人には、納豆や大豆製品に多く含まれるイソフラボンも使います。吸収効率のいいアグリコン型と呼ばれる、イソフラボンです。医薬品レベルに近いほどの効果が見られ、アメリカ・ハーバード大学の栄養学の専門家による臨床研究も行なわれています。今、注目のイソフラボンなのです。

イソフラボンには、女性ホルモンのエストロゲンと同じ作用がありますが、エストロゲンよりも弱い作用です。この弱さがいいのです。

ホルモンは、レセプターと呼ばれる細胞の鍵穴にはまるカギのようなものです。ところが、カギがガッチリとはまってしまうと、逆に鍵穴が壊れてしまい、体に悪い影響を与えます。イソフラボンは、鍵穴にふんわりはまって適度にコントロールしてくれる、やさしいカギなのです。

更年期障害をやわらげ、ずっと若い体を保つために、**今から基礎代謝力と「ホルモン力」をつける**ようにしましょう。ホルモン力はイソフラボンの力を借ります。納豆や豆腐、みそなどの大豆製品をとるようにしてください。

「月経の周期」に合わせて生きてみよう

女性ホルモンには、「エストロゲン（卵胞ホルモン）」と「プロゲステロン（黄体ホルモン）」の2種類があります。

エストロゲンは、女性らしい体をつくる働きを持ちます。**「美人ホルモン」**とも言われています。皮下脂肪を蓄えさせて女性らしい体をつくるとともに、内臓脂肪を溜めにくくする作用があります。また、コラーゲンを増やし、髪や肌にうるおいやハリ、弾力を与えます。血行を良くして、冷え性、むくみを防ぎます。

さらには骨を丈夫にする働きがあり、骨粗しょう症を予防します。また、善玉コレステロールを増やすので、動脈硬化を防ぎます。脳をいきいきさせたり、気持ちを安定させたりする働きもあります。膣をうるおわせて、セックスをスムーズにします。

プロゲステロンは、妊娠を助けるホルモンです。

受精・妊娠に備えて子宮内膜を整え、体に栄養や水分を蓄えます。

卵巣でつくられた女性ホルモンは、皮下脂肪に蓄えられます。皮下脂肪が少なくなれば、女性ホルモンのバランスがくずれてしまうのです。

女性ホルモンは、月経の周期に合わせて、エストロゲンとプロゲステロンが分泌されます。女性の一生で分泌される量は、大さじ１杯程度と言われています。

月経開始から排卵までの期間（卵胞期）に、エストロゲンの分泌が盛んになります。排卵から月経開始までの期間（黄体期）になると、プロゲステロンの分泌が優位になります。

月経が終わると、肌のコンディションが良くなり、気分が安定します。卵胞期はウキウキして楽しくなる時期です。とくに、**必要以上の食欲を抑えることができる時期**でもあります。

それに対して黄体期は、皮脂の分泌が盛んになるため肌荒れが起きたり、水分を蓄えるのでむくみやすくなったりします。また、わけもわからずに疲れたり、やたらイライラがつのったりします。食欲が必要以上に増します。憂鬱な時期です。

女性ホルモンは体内でしかつくられないので、食べ物からの補給はできません。

ただ、エストロゲンに似た働きをするイソフラボンをとれば、分泌量の低下が抑えられます。イソフラボンは大豆、納豆、豆腐などの大豆製品に多く含まれます、ほかに、ゴマ、エンドウ豆、アーモンド、カボチャ、アボカドにも、エストロゲンに似た働きをする成分が含まれています。

プロゲステロンは、ビタミンEをとると分泌が促進されます。ビタミンEは、アーモンド、カボチャ、ウナギ、玄米などに含まれます。

これらの食材は、**閉経前後の更年期障害や月経不順の克服**にも役立ちます。

ずっと「前向きに生きる」コツ——やる気ホルモン

女性の体で、1日に分泌される男性ホルモンの量——。

男性の約10分の1から20分の1です。

健康な男性の体では、毎日7ミリグラムほどの男性ホルモンが分泌されています。

たったこれだけの男性ホルモンがきちんと分泌されないだけで、女性の体は、ぐっと老けやすくなってしまうのです。

男性ホルモン（テストステロン）が「ずっと若い体」に不可欠な理由は、なんと言っても**筋肉をつくるのに欠かせないホルモンだから**です。筋肉の量や筋力を高めます。また、筋肉を減らすストレスホルモンの働きを、抑え込む作用もあります。

男性ホルモンの分泌は、食生活や運動の仕方に大きく影響されます。

菜食主義、低カロリー・低たんぱくの食事、過剰なトレーニングやストレスなどが、男性ホルモンの分泌を低下させます。

脂質のとりすぎに気をつけていれば、肉は理想的な高たんぱく食品です。脂身の少ない、牛や豚の赤身などがいいでしょう。

肥満を避けながら、男性ホルモンの分泌を促すために肝心なのは、摂取と消費のカロリーバランスをとりながら、体脂肪率を普通レベル（20〜25パーセント）に保つことです。

皮下脂肪は女性らしさのもとですが、腹部の皮下脂肪が厚いと、男性ホルモンの分泌が低下すると言われています。

すべてを多すぎず、少なすぎず、バランスをとるためにも、まめに体脂肪率は測ったほうがいいでしょう。

男性ホルモンは、精神面でも大きな影響を与えます。男性ホルモンが減少すると、前向きに生きる気力、やる気がだんだんに消え失せていきます。すると、ふさぎ込むようになり、ストレスが重くのしかかってきます。

何よりも、この先「ずっと若い体」をつくっていくための、ちょっとした生活習慣の改善も、「やる気」が継続してこそ。それをつかさどる男性ホルモンの力があってこそ継続できるのです。

まずは第1歩を踏み出しましょう。

30分のウォーキングをして、夕食には牛の赤身肉のステーキ、そして就寝前に腕立て伏せとスクワットを10分程度。そして、十分な睡眠。こうして**あなたの「ホルモン力」は、ぐんぐん鍛えられていくはず**です。

ずっと「健康に生きる」コツ――ミラクルホルモン

女性ホルモンも男性ホルモンも、若返りホルモンのＤＨＥＡの分泌を促すことで「どっと分泌される」ようになります。

「どっと」といっても、ミクロ（極小）の世界のことですから、あくまでも「活発化」のイメージです。

ＤＨＥＡは、男性ホルモン、女性ホルモンの源になる「マザーホルモン」です。**ＤＨＥＡが豊富に分泌されれば、必然的に、女性ホルモンも男性ホルモンも増える**ことになるのです。

近年、健康長寿の男女はＤＨＥＡの血中濃度が高いことがわかってきました。アンチエイジング効果において、ＤＨＥＡは「若返りホルモン」「ミラクルホルモン」と呼ばれるほど重要なホルモンなのです。

私のクリニックのホルモンレベルの検査でも、DHEAを非常に重視します。

DHEAは、体脂肪の燃焼、体重調整、糖尿病や心臓病、がん、骨粗しょう症の予防、免疫力アップなど、大切な働きもします。DHEAがたっぷり分泌されていると新陳代謝が高まるので、老化が食い止められ、皮膚が若返ります。免疫力を高める効力もあります。

さらには、ストレスをやわらげ、気分を陽気にしたり、気持ちを若々しくさせたりする効果もあると言われています。

DHEAは、まさに**「ホルモン界の万能選手」**なのです。

これほどありがたいDHEAですが、一つだけ天敵がいます。ストレスです。

DHEAにはストレスをやわらげる効果はありますが、あまりにストレスがかかりすぎると、DHEAと同じくコレステロールを原料にするストレスホルモン（コルチゾール）が活発に分泌されます。その際に、DHEAは、原料になるコレステロールをストレスホルモンに奪われてしまうのです。

したがって、過度のストレス下にあると、DHEAからつくられる女性ホルモンと男性ホルモンの分泌も低下してしまいます。

ストレスは「若さ」の大敵！

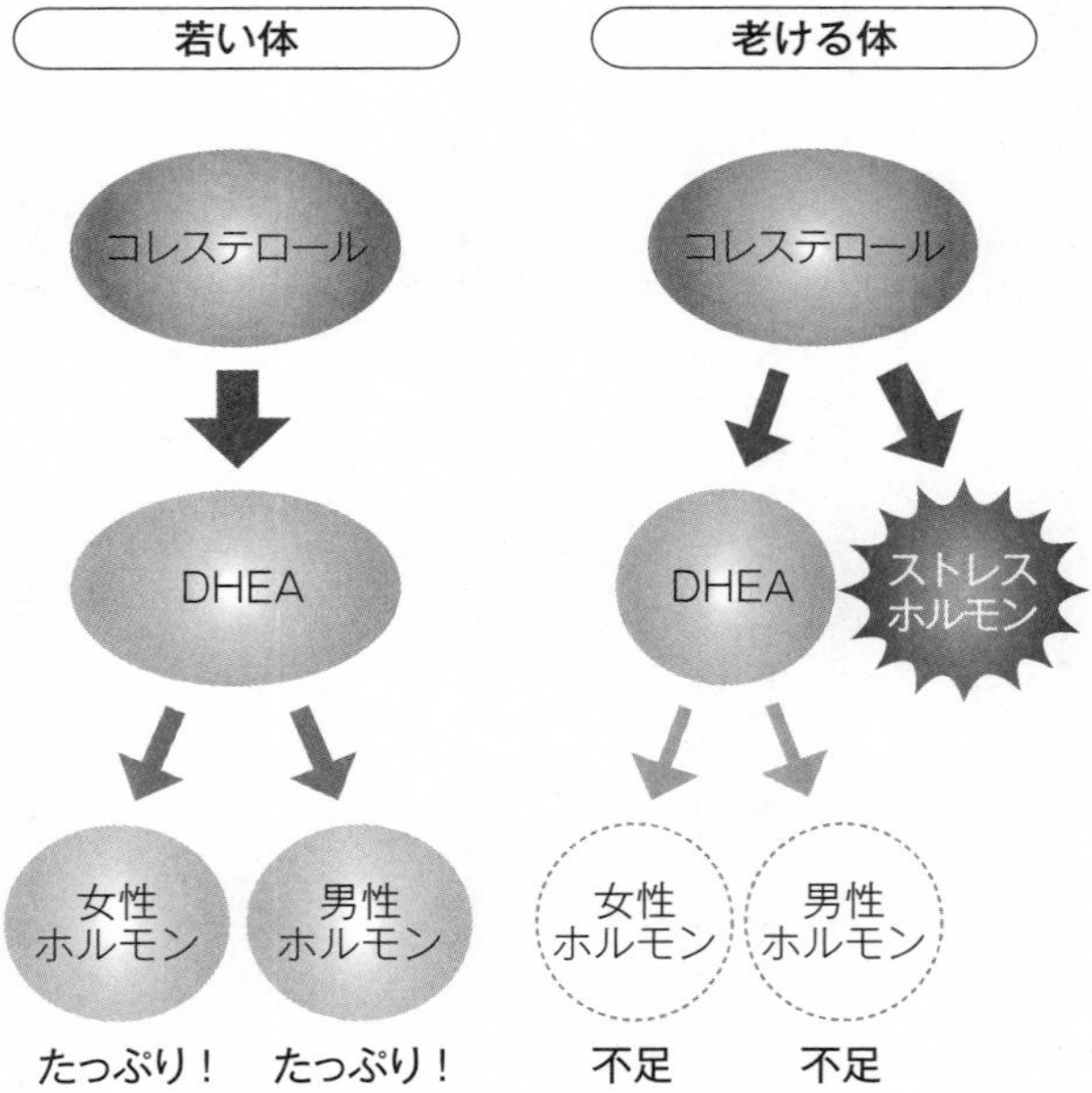
若い体
老ける体
コレステロール
コレステロール
DHEA
DHEA
ストレス
ホルモン
女性
ホルモン
男性
ホルモン
女性
ホルモン
男性
ホルモン
たっぷり！
たっぷり！
不足
不足

では、DHEAの分泌を促すには、どうしたらいいのか？

サプリメントがもっとも手っとり早く、効果的です。

私も、DHEAの血中濃度の低い患者さんや、更年期障害に悩まれている患者さんには、DHEAをサプリメントでとるようすすめています。

DHEAは、もともと日本の自然薯から発見された栄養素です。ヤマイモ類、サトイモにも含まれています。

あとは、過度のストレスを感じずにすむように、好きなことに没頭するなど個々人のストレス発散法を持つこと、心を若く保つように、つね日ごろから心がけることです。

DHEAは若返りを可能にしますが、反対に若い体と心を持っていると、分泌が活発になるようです。**DHEAが体を若返らせる、若い心がDHEAを分泌させる。**こうした相乗作用があるのではないか、と考えられます。

サプリメントでDHEAを補いながら、運動で若い体をつくり、若い気持ちを忘れない。そうしていれば、あなたは今後ずっと、DHEA不足にはなりません。DHEAの補給は、必ず朝にするのがポイントです。

ずっと「美肌で生きる」コツ――成長ホルモン

美肌、健康増進、老化防止、肥満解消――。

こうした強力なアンチエイジング効果を発揮するのが、成長ホルモンです。

成長ホルモンは、健康な肌と丈夫な骨をつくります。また、体が、筋肉のもとになるたんぱく質をつくるのを助ける働きや、体脂肪を分解する働きもあります。

分泌低下が起こると、体脂肪が増えて筋肉量が減り、新陳代謝が悪くなって肌が荒れます。

成長ホルモンを、**アンチエイジングの強力な味方**にするもっとも重要な点は、「分泌されるタイミング」。

成長ホルモンが大量に分泌されるタイミング、その1は、「睡眠中」です。

しかも、寝ついてから30分ほどでやってくるノンレム睡眠（深い眠り）の間に、成長ホルモンが大量に分泌されます。深い眠りが夜10時から午前2時ころの間にあれば、よりいっそう分泌されます。

成長ホルモンは、日中、紫外線を浴びてダメージを受けた皮膚を、夜の間に修復します。**美肌は、眠っている間にしかつくられない**のです。

また、日中の活動や運動で傷ついた筋肉にたんぱく質を補給して修復し、筋肉量を増やします。

荒れた肌がよみがえるのも、もっとも多く筋肉がつくられるのも、夜の深い眠りの時間帯なのです。

成長ホルモンが分泌されるタイミング、その2は、「運動後」です。

筋トレなどの運動で筋肉が刺激を受けると、脳下垂体が活性化して成長ホルモンの分泌が高まります。分泌は3時間ほど続きます。

たとえば、お相撲さんは、午前中に激しい稽古をした後にチャンコ鍋で朝昼食を兼ね、そして昼寝をします。

彼らのみごとな体はこうしてつくられます。一見、体脂肪タップリに見えますが、じつはほとんどが筋肉です。伝統的な知恵として、成長ホルモンの分泌の仕組みをうまく利用していたのです。

成長ホルモンの補充に、成長ホルモン補充療法というのがありますが、副作用や発がんとの関係などが指摘され、特殊な病態を除いては安易に行なうべきでないとされています。

そこで、成長ホルモンの分泌を自然な方法で高めるために、次の二つの方法を心がけます。

これが、**「ずっと若い体」でいるための秘訣**です。

第一に、質の良い睡眠を確保すること。

成長ホルモンが深い眠りの間に分泌されることを考えれば、当然です。理想の睡眠時間は7時間半。毎日はむずかしいかもしれませんが、極力、夜11時には床につくことを心がけたいものです。

寝る前には、安眠を妨げる甘いものや炭水化物、アルコールはひかえます。血糖値が上がると、成長ホルモンの分泌が抑えられてしまうからです。

第二に、適度な運動を習慣にすること。

軽くもなく、きつくもなく、軽く汗ばむ程度の運動です。たとえば男性ホルモンの分泌を促すのと同様に、ウォーキングとスクワットを継続的に行ない、筋力を鍛えます。筋トレを行なうと、筋肉組織は少なからずダメージを受けます。このダメージを修復するために、成長ホルモンが分泌されるのです。

このように、成長ホルモンが分泌される仕組みを知っておけば、筋力アップもむずかしくありません。夕食に肉や魚などのたんぱく質をとって「筋肉のもと」を補い、スクワットや腕立て伏せを10分行ないます。

成長ホルモンがたくさん分泌されると、自然に体重や体脂肪率が下がります。体が引き締まり、**カッコいいプロポーションをとり戻すことができる**のです。

ずっと「みずみずしく生きる」コツ――睡眠ホルモン

深く、よく眠る方法――。

深くよく眠れると、成長ホルモンが大量に分泌されます。

ここで決め手となるのが、メラトニン。睡眠・目覚めで重要な役割を果たす「誘眠ホルモン」です。メラトニンがしっかり働くようにすれば、つねに質の良い眠りを確保できます。

メラトニンには**免疫力を高める働きや、体のさび止めになる作用**もあります。健康、美容にも活躍してくれるのです。

メラトニンは、脈拍、体温、血圧を低下させることによって睡眠と目覚めのリズムをじょうずに調整し、自然な眠りを誘う作用があります。

朝、太陽の光が目に入ってから16時間ほど経たないと、眠気を誘うほどの量のメラトニンは分泌されません。

朝６時に起きると、夜９時ころから分泌を始めて、成長ホルモンの分泌が活発になっている夜10時から11時ころになると、眠気を誘います。夜中に分泌のレベルが高まり、朝方、目覚めるレベルに下がります。

外が明るいときは、メラトニンはほとんど分泌されません。眠る前に室内を少し暗くすると眠りやすいのは、このメラトニンの働きを利用しているからです。

歳を重ねるごとにメラトニンの分泌は減っていきます。70代になると、夜間になっても量は昼間と同じくらいの低レベルになります。高齢者が、朝が早く夜中に何度も目が覚めるのは、このせいです。

メラトニンの分泌低下を防ぐには、**毎日の起床・就寝時間を規則正しいものにすること**。朝起きたら部屋のカーテンを全開にして、日光をとり入れます。メラトニンの分泌が止まって眠気がとれ、スッキリと目覚めます。

そして眠るときは、１時間前から室内の照明を落とし、就寝時には真っ暗にします。メラトニンが大量に分泌され、寝つきが良くなります。

メラトニンは、食べ物で分泌量を増やすことができます。

メラトニンを増やすには、精神の安定作用があるセロトニンという脳内物質を必要とします。

このセロトニンの材料になるのが、アミノ酸の一種であるトリプトファン。トリプトファンを豊富に含む食材は、納豆などの大豆製品です。また、レタスやキャベツ、白菜、バナナ、チーズ、マグロ、カツオ、牛肉の赤身にも、トリプトファンが含まれています。

深くよく眠る女は「若い」！

3章
今からでも間に合う！「ずっと若い体」になる食べ方

「糖化した女」になっていませんか？

体がさびる、体がべとつく、体がしぼむ——。

この三つの現象は老化の要因ですが、体のべとつき（糖化）は体のさびつき（酸化）よりも、体の衰え、とくに肌の老化を進めます。

今、医療界では、**糖化を健康と美容の大敵**としています。

体のべとつきは、たとえば自転車の歯車に濃い砂糖水を差したようなものです。砂糖水を差された歯車は、べとべとになってスムーズに動かなくなってしまいます。それと同様、糖質をとりすぎると、体内では糖化したたんぱく質が変質して、本来の働きをしなくなります。

たとえば、肌の弾力のもと、コラーゲンはたんぱく質の一種ですが、糖化するとコラーゲンがからみ合って、肌はプリプリ感やハリを失います。

コラーゲンが、コラーゲンでなくなってしまうのです。糖化が若さの大敵であることが、おわかりいただけると思います。

骨のコラーゲンが糖化すれば、骨はもろくなります。血管の内側であれば、動脈硬化を引き起こします。

糖化によって、さまざまな部位が老化を進めるのです。

また、糖化は、体を太りやすく変えてしまいます。体脂肪が溜まる原因は、脂質のとりすぎだけではありません。体脂肪は、ごはんなどの糖質（炭水化物）からも生まれます。

糖質は体内でぶどう糖に分解され、エネルギーとして全身に運ばれます。

血液中にあるぶどう糖の濃度を、血糖値と言います。

血糖値が上がると、すい臓からインスリンが分泌されます。インスリンには、ぶどう糖をエネルギー源に換えて体内に貯蓄する働きがあり、体は必要に応じてそのエネルギー源を使用します。

しかし、使われないままに余ったエネルギー源は、皮下脂肪や内臓脂肪として蓄積されます。糖質は脂質よりもエネルギー源として使われやすく、また、余ると脂肪として蓄積されやすいのです。

とくに、アメや既製品のクッキーなど糖分の高い食べ物には、人工的な糖類が大量に含まれています。これをとると、血糖値が急激に高まります。習慣化すれば、体の糖化がどんどん進み、肥満、糖尿病の発生を招いて老化を加速させます。

反対に、糖質の摂取量を減らすと、インスリンの分泌量も低下します。するとエネルギーの消費を促すホルモンが分泌され、肥満を防ぎます。

「太りたくない」と思うと、まず脂質をひかえてしまいます。

ですが、過剰に脂質を避けると、ビタミンA（皮膚を健康にする）やコエンザイムQ10（補酵素）、ミネラルなどが不足します。

脂質はたしかに肥満のもとにはなりますが、同時に、アンチエイジングに欠かせない栄養素もふんだんに含んでいるのです。

したがって、肥満を防ぎ、老化を防ぎ、「ずっと若い体」をつくるためには、**脂質よりも、まずは糖質のとりすぎに気をつけなければなりません。**

重要な問題「小腹が減ったらどうする？」

小腹が減って、ついお菓子をつまんでしまう。

クセなっている人は、多いのではないでしょうか。しかし前項でも述べたように、糖質のとりすぎは、体をどんどん老けさせます。

では、小腹が減ったら、どうすればいいのか？——そもそも、**「小腹が減らないようにすればいい」**のです。

そのためには、精製された白米、白い食パン、白砂糖を極力とらないのが一番です。これらは、「エンプティカロリー」、つまり栄養素をほとんど含んでいない「空っぽのカロリー」と呼ばれる食材です。

エンプティカロリーをいくら食べても、必要な栄養素をとれません。すると、体が不足しているビタミンやミネラルを求めるため、もっと何かを食べたくなります。

このときに、ビタミンやミネラル豊富なものを食べれば、まだいいのですが、まずは空腹を満たしたいために、また菓子パンなどのエンプティカロリーをとってしまいがちです。こうして悪循環におちいり、脂肪が蓄積されていきます。

さらに、**女性が大好きな甘いものは、体を冷やす最たる食品**です。さらに糖分を消化するために、ビタミンB群が大量に使われます。ビタミンB群が不足すると、腸のぜん動運動が弱まり、便秘を起こします。

ですから、空腹時にケーキバイキングに行くなど、もってのほか。糖分を含んだ清涼飲料水で空腹をまぎらわせたりするのも、良くありません。

甘いものに限らず、何かを食べれば、血糖値は上がります。野菜などの繊維質をたっぷり含んだ食材をとっていると、血糖値の上がり方はゆるやかになります。ゆるやかに上がった血糖値はゆるやかに下がって空腹になり、体は適量の食事を欲するようになります。

ところが、空腹状態でまず糖分をとると、血糖値は急に上がり、急に下がります。急激に下がるとイライラがつのり、ときには「キレる」という状態にもなります。

そして、下がった血糖値を早く上げたくて、さらに甘いものが欲しくなるという悪循環に陥ります。これが「低血糖症候群」と呼ばれる症状です。

甘いもの好きの人は体が冷えやすくなっているだけではなく、情緒的にも不安定になりやすいのです。イライラすると甘いものが欲しくなるという人は多いと思いますが、じつは**甘いものがイライラのもとになっている**のです。

精製された食品は、体を冷やし、老けやすくします。

精製された食品ではなく、玄米、全粒粉のパン、黒砂糖など、本来の成分が丸ごと残っている食品をとりたいものです。

これらは、繊維質、ビタミン、ミネラルなど自然界にあるがままの成分が残っているという意味で、「ホールフーズ（全体食）」と呼ばれています。

しかし、玄米は一般家庭の炊飯器ではおいしく炊けません。また、かたくて食べづらいという人も少なくありません。毎日食べる必要はありませんし、合わなければ、無理に続けることもありません。

玄米はぬかのついた状態です。少し精製した米が三分づき、もう少し精製したものが五分づき、七分づきで、米がだんだん白くなります。より食べやすい五分づき七分づきでも、白米より栄養素が残っているので、ここから始めてみるのもいいでしょう。

玄米を精米してくれる店が少ないので、家庭用精米機があると便利です。

ところで、仕事中に小腹がすいたらどうするか。

甘いものはなるべくひかえますが、甘いものが疲れをとるのも事実です。ケーキを食べるなら脂質の少ない和菓子や果物、和菓子を食べるならカロリーがほとんどない寒天ゼリーをすすめます。乾物の小魚はカルシウムやDHAがとれます。シュガーレスのガムもいいでしょう。噛むことで空腹感をまぎらわすことができます。

もっとも、この後に述べていきますが、昼食を1日の食事の中心としてしっかりとれば、間食を欲しなくなります。まして、食事にホールフーズをとっていれば、小腹が減るということはまったくありません。

「肥満と老化」を一気に片づける法

ここで、私が指導した実例を紹介しましょう。

経理の仕事をするCさん（38歳）は、日に1箱近く吸っていたタバコをやめてから、8ヵ月で6キロも太ってしまいました。

クリニックに来たときのCさんの体重は58キロで身長は154センチ。体脂肪率は30パーセント強。立派な肥満でした。タバコを吸わないと口寂しく、また小腹が減るからと、しょっちゅうアメをなめたり、甘いものを間食したりしていたそうです。

Cさんは、「肌のコンディションもいまいちで、なんだか老け込んだみたい……」と、すでに現れつつある老化現象を気にしていました。

そこで糖化を防ぐ食事法、名づけて「抗糖化食事法」を指導しました。ここでは、その食事内容と、とり方のみをご紹介します。

急がず焦らず、基礎代謝力を高め、まず**3ヵ月で3キロの減量**に挑戦してもらった結果、みごとに成功。その内容は、次のとおりです。

デスク仕事のCさんが自然に体を動かせるように、まず、生活の中に運動をとり入れました。

通勤時は大股で速く歩く「大股速足歩き」と階段の上り下り、休日は散歩がてら、ひと駅離れたスーパーで買い物をするように指示しました。脚を鍛えるのはもちろん、荷物を持つことで、腕の筋肉に負荷を与えるのです。

肝心の食事指導は、次のようにしました。

まず、アメや甘いものの間食は、やめてもらいました。

ただし、すでにクセになっているので、つい手を出してしまっても後悔しないようにとアドバイスしました。後悔はやがて「私は意思が弱いから」となり、挫折の言い訳になるからです。すぐにやめることより、まずは「間食をやめる」という意識づけが大事なのです。

毎日の食事は、白米、白パン、麺類、イモ類、白砂糖、甘いもの、清涼飲料水など、糖質をひかえることを第一にしました。これらを、「先週よりも今週は少なく」、といった意識で、徐々に減らすように指導しました。

「何を食べるか」より「何を減らすか」に、重点を置いたのです。

それ以外に指導したのは、規則正しい食生活。加えて、一度の食事には最低でも20分かけることを指導しました。

朝食は起床後2時間以内。昼食は、夕食にさしつかえないよう、遅くとも午後2時までにすませます。そして就寝3時間前に夕食を終えるのが理想。就寝2時間前以降の飲食は厳禁です。少し空腹感を覚えながら床につくのが、ちょうどいいのです。

食べ物を胃の中に残して寝ると、消化に良くないだけではありません。脂肪は、夜、眠っている間につくられます。吸収された栄養素が燃焼することなく、脂肪として蓄えられてしまうのです。

食事に含まれた糖が血液で脳に運ばれると、満腹中枢から「満腹」のサインが出ます。それに要する時間は20分程度。だから、食事には最低でも20分をかけ、食事の最中に満腹サインを受けとるようにすることが、食べすぎを防ぐのです。

現在のCさんの体重は55キロ、体脂肪率は軽肥満のレベルです。理想体重（ＢＭＩ）は53キロ台ですから、もうひと踏ん張りというところです。

ＢＭＩ（Body Mass Index＝体格指数）とは、肥満度を測定する指標です。ＢＭＩ値は、体重（kg）を身長（m）の二乗で割って求めます。標準値が「22」。この標準値に身長（m）の二乗をかけると、理想の体重が求められます。なお、「18・5～25未満」だと、肥満度は普通レベルです。

Cさんは、肌にみるみるツヤが戻りました。**指導内容が肥満とともに、老化の対策にもなっていることは明らか**です。

「コラーゲン＋ビタミンC」で「すっぴん美人」になる

シミ、シワ、乾燥肌。歳をとるほどに気になってくるものでしょう。

肌の大敵は紫外線です。肌に紫外線を浴びると、細胞内で活性酸素が発生し、メラノサイトという細胞が刺激を受けて、メラニン色素をつくり出します。

メラニン色素は、紫外線の害から肌を守ろうとして肌を黒くする働きを持ちます。そのメラニン色素が肌の中に残って沈着したものが、シミ。メラニン色素のおかげで紫外線の害から肌を守れるのですが、肌の一部に色素が残ってしまうとシミになります。

シミは、活性酸素との戦いのアトなのです。

また紫外線は、みずみずしい肌をつくるコラーゲンを破壊し、肌から弾力やハリを奪ってシワの原因になります。

また、紫外線は肌を乾燥させます。肌はカラカラになり、表面は荒れ傷ついた状態になります。

肌は、**「体の外にある臓器」**とも言われます。体の中の状態が、そのまま肌に現れるからです。

体が疲れていれば、肌も疲れてハリを失います。体の中で老いが進んでいれば、肌にもシミ・シワといった老化の現象が現れます。逆に、体のコンディションが良ければ、肌も美しくなります。

健康で若々しい肌を手に入れるには、新陳代謝を盛んにします。皮下奥で生まれた細胞は時間とともに表面に押し上げられ、アカとなって寿命を終えます。皮膚のライフサイクルは20代で28日、60代になると１００日にもなります。

30分のウォーキングを、週に4回ほど行なうことで基礎代謝力を上げて、新陳代謝を活発にします。そうすると、肌のライフサイクルが短くなり、肌は絶えず若い細胞で埋めつくされます。

もちろん、睡眠と、食事も大切です。

体の細胞は、夜に生まれ変わります。眠っている間に、皮膚は昼間に受けたダメージから回復し、新しい細胞をつくります。睡眠は1日最低7時間半前後、夜11時までには床につきたいものです。

さらに、美肌づくりに欠かせない食材は、ビタミンCがとれる果物類や美肌に必要なたんぱく質（リジン＝アミノ酸の一種）を含む牛乳、チーズ、大豆、魚介類。ほかに老化防止になるビタミンAを含むブロッコリー、ホウレンソウ、ウナギ、卵なども積極的にとります。

美肌と言えばコラーゲンですが、鶏の手羽先、鶏皮、牛筋、豚足、魚皮などの食材からとるのが一番です。それもビタミンCとともにとります。

食物からとったコラーゲンはそのまま利用されず、いったんアミノ酸（たんぱく質の成分）に分解されて吸収されます。その後、アミノ酸を材料にしてビタミンCやたんぱく質などの働きにより、ふたたびコラーゲンがつくられます。

ただ、体内でつくられるコラーゲンがたんぱく質の成分であるアミノ酸を材料にするのだから、コラーゲンを含む食材をとらなくても、いろいろなたんぱく質食材を摂っていればコラーゲンは体内でつくられる、とも言われています。

気は持ちようです。コラーゲンたっぷりの食材をとって**「もう、お肌プルプル」**といった気分を得るのも健康、美容には大切です。

さびつきを止めるビタミンEを含む食材や、肌を活性化する「ムチン」というネバネバ成分がある納豆、サトイモ、ヤマイモ、オクラも日常的にとりたいものです。

これらの合わせワザによって、浴びてしまった紫外線の影響をやわらげます。

なぜ、「和食は若返り食」なのか？

「サンマの塩焼き定食」は、**「老けない食事」の代表的献立**です。

サンマの塩焼きに青菜のおひたし、納豆、ぬか漬け、ダイコンおろし、ワカメのみそ汁、ごはん——こうした一汁二菜（サンマ、青菜）を基本とした日本人の伝統的スタイルは、健康長寿の食卓として知られています。

エネルギーになる炭水化物、脂質、体をつくるたんぱく質、エネルギーを効率よく燃やすためのビタミン、ミネラル、大腸の中をそうじする食物繊維。体が必要とする六大栄養素が、バランスよくとれる食事なのです。

たとえば、サンマは**「ずっと若い体」をつくる栄養素、EPA(エイコサペンタエン酸)やDHA(ドコサヘキサエン酸)の宝庫**です。EPAは動脈硬化、心筋梗塞を予防し、DHAは脳細胞を活性化します。

ちなみに、EPAやDHAは、白身魚よりもサバ、イワシ、アジ、ブリなどの脂の多い青魚から大量にとれます。刺身で食べると効率的にとれます。また、体調を整える働きがあるオメガ3脂肪酸も含まれています。1日1食は、魚をメインにするのが理想的です。

加えて、納豆やぬか漬けなど、腸内環境を整えるすぐれた発酵食品も含まれているのですから、和食の献立は、長寿大国・日本の先人の知恵がつまった「アンチエイジング食」です。

他方、欧米型の食事はどうでしょう。これがじつは、日本人を以前より「老けやすくしている」と言えるのです。

たとえば、食パンにマーガリン、ハムエッグ、ドレッシングのかかったサラダ……。精製された食パンに、危ない油脂のマーガリン、加工品のハム(エッグ)、そして

和食は「若返り食」――その理由

人間に必要な
「６大栄養素」が一気にとれる！

＊６大栄養素とは……
①糖質　②脂質　③たんぱく質
④ビタミン　⑤ミネラル　⑥食物繊維

たとえば
「サンマの塩焼き定食」

サンマ➡たんぱく質
＋「健康で長生き」を可能にする「EPA」「DHA」もたっぷり！

青菜のおひたし➡食物繊維、ビタミン、ミネラル

納豆➡たんぱく質、脂質
＋女性を美しくする「イソフラボン」もたっぷり！

ダイコンおろし➡食物繊維、ビタミン
＋「食物繊維」が、焼き魚のこげめにある発がん性物質をからめとって排泄！消化を助ける「消化酵素」もたっぷり！

ワカメのみそ汁➡食物繊維、ミネラル

ごはん➡糖質

ぬか漬け➡ビタミン
＋腸内環境を整える乳酸菌もたっぷり！

生野菜サラダには、化学的につくられた植物性油脂が使われたドレッシング――。

欧米型の食生活には、「老ける食材」が並んでいるのです。

まず、精製された食パンは、体を冷やし、老けさせる「エンプティカロリー」であることは、前にも述べました。

また、パンや肉製品など、市販の加工食品にはほぼ間違いなく食品添加物が含まれています。

食品添加物には、今までにも安全だからと使われていたものが、発がん性があるということで使用禁止になった例がいくつもあります。ということは、今、安全とされるものの中に、将来使用禁止になるものがあるかもしれないのです。

加工食品に使われている油脂も見逃せません。

動物性油脂のとりすぎはいけませんが、植物性油脂ならいいかというと、そうではありません。とっていい植物性油脂はオリーブオイルやゴマ油など、昔ながらの圧搾法（コールドプレス）でしぼりとった油だけです。

そもそも植物性油脂は室温では液体。マーガリンのように固形にするためには、化学反応をさせなくてはなりません。その結果、トランス脂肪酸という自然界には存在しない脂肪酸が混入します。

ですから、保存して食べることを前提とした加工食品は、多くとらないほうがいい。一番いいのは、加工食品を使わずに素材から調理することです。

米、魚、野菜といった食材を調理する和食なら、それも可能なのです。

六大栄養素をバランスよく、しかも安全にとるなら、やはり和食で主食、主菜、副菜1～2品、汁という組み合わせの献立を基本形にします。

主食は雑穀ごはんや分づき米、麦入りごはんにするのもいいでしょう。食物繊維が多くとれます。

汁は海藻やキノコ、野菜で具だくさんにすれば、ビタミン、ミネラル、食物繊維の供給源になります。

副菜の1品は、旬の野菜料理にしましょう。野菜はいくらとってもとりすぎということはありません。

もちろん、欧米型の食生活でも、全粒粉のパンやドレッシングにオリーブオイルを使うという改善方法もあります。しかし、**和食には、それをはるかにしのぐアンチエイジングの知恵がつまっている**のです。

「食べても太らない女」の習慣

「ずっと若い体」をつくるために、食生活では「昼食」がもっとも大切です。

体内には**「日内変動」というリズム**が備わっています。

体は朝4時前ころから、ACTH（副腎皮質ホルモンの分泌を刺激するホルモン）という分泌促進ホルモンを出しはじめます。それに促進されて、6時ころになるとコルチゾール（ストレスに対応する副腎皮質ホルモン）が出てくるのですが、交感神経が優位になり、昼ごろには体が活発に動きます。

日内変動を考えると、禅寺のお坊さんの生活がもっとも生命体の理論にかなっています。彼らは朝3時半ごろに起き出し、そうじなどをして朝食を茶がゆ程度で軽くすませます。

日内変動を基にした人間の1日は、次のように三つに分けられます。

①排泄　朝4時から正午
②消化　正午から夜8時
③吸収　夜8時から朝4時

朝は栄養をとることよりも、排泄に使う時間帯です。本来、まず排泄があって、その後の食事で新しく栄養をとるのが理想です。

朝食は無理にしっかりとらなくてもかまいません。前夜、遅くまで飲食していて胃がもたれているような状態では、胃を休ませたほうが健康的です。

だからといって、朝食を軽視しているのではありません。朝食をとることで、体温が上がり、脳も動いて集中力が高まります。

朝食を抜くと昼食にその分、多く食べてしまい、インスリンが過剰に反応します。インスリンには、糖を体脂肪に換え、エネルギー源として肝臓や脂肪細胞に溜め込む働きがあります。

そこでおすすめするのが、**胃にやさしい「おかゆ」**です。ただし、おかゆは熱々で食べるのではなく、ほど良い温かさで食べます。熱々だと、のどや食道をいためる場合があります。

みそ汁、ぬか漬けがあればなおいいでしょう。慣れてきたならば、納豆を加えます。バランスのとれた栄養食になります。

また、どうしても食欲が湧かないのであれば、無理は禁物ですが、リンゴやモモ、プルーンなどの体を温める果物を少しでもとりましょう。活動を始めるために、スイッチを入れるのです。

昼間は、活動するために交感神経が活発になります。

胃の働きが良くなり、食べ物が積極的に消化・吸収されます。消化の時間帯にしっかり食事をすると、血糖値が上がり活動態勢に入ります。細胞や器官、臓器が元気に仕事をこなすために、必要な働きをするようになるのです。

そのためにも、**昼には、和定食のような栄養のバランスがしっかりとれた食事**をします。こうした昼食が習慣化できれば、午後、小腹が減るということがなくなるはずです。

夜は、1日の疲れをとるために睡眠の準備として副交感神経が優位になり、体を休

「太らない食事リズム」は、こうつくる！

やせる食事リズムの3大ルール

❶朝食は、おかゆとおかず2品
❷昼食は、一汁二菜の和食
❸夕食は、たんぱく質メインでごはんは控えめに！

たとえば……

朝食
おかゆ（茶わん軽く1杯）
タマネギとキャベツのみそ汁
納豆
キュウリとカブのぬか漬け

昼食
ごはん（茶わん軽く1杯）
サケの塩焼き（ダイコンおろしつき）
筑前煮（鶏モモ肉・ゴボウ・レンコン・ニンジン
タケノコ・サヤインゲン・コンニャク）
ナメコのみそ汁

夕食
牛肉とダイコンの煮物
生野菜サラダ（レタス・トマト・キュウリ・タマネギ・ゆで卵・ドレッシングはラー油と酢）
キュウリとカブのぬか漬け
ビール350ml缶１本

める吸収の時間帯になります。

腸の働きが良くなり消化・吸収が行なわれます。栄養価の高いものを食べれば、メタボになるのは当たり前です。

夕食は大食いしないことも重要ですが、食事内容も大事。高たんぱく、低炭水化物の食事を心がけます。

炭水化物の食べ重ね、たとえばごはんにミニうどんを食べる、といった食べ方は厳禁（朝食でも昼食でも同じ）。コンビニ弁当のつけ合せにあるパスタも、炭水化物の食べ重ねになります。

夕食は、思い切って、炭水化物を抜いてみるのもおすすめです。

適切な食生活、栄養バランスのとれた食事――**「朝夕軽め、昼はしっかり」が基本**です。しかも、いつも決まった時刻に食べることが肝心です。体には、食事のリズムを記憶する仕組みがあります。それに合わせて食事をとることで、栄養分がほどよく体内に保たれるのです。

食習慣は、慣れです。高した食事リズムを1、2週間も続けていれば、体は適応するようになります。そうなると、体は「ずっと若い体」へと変わっていきます。

「お肌をべとべとにしない」三大原則

糖化を避ければ、老けない体になる。たしかにそうです。

ただし、脂肪にも役割があるように、糖質にも、体にとって大切な役割があります。すべての糖質を排除しなければならないというわけではありません。

じつは、**糖質は体脂肪を燃やす「火種」のようなもの**なのです。ある程度、糖質がないと、体脂肪が燃えない体になります。体は、糖質の代わりにたんぱく質をエネルギー源にするため、基礎代謝力を高める素になる筋肉を減らしてしまいます。

また、糖質は脳や神経、赤血球のおもなエネルギー源になっています。

体にも頭にも、糖質は、とても必要な栄養素なのです。

糖質をじょうずにとるための、1回の食事の基本的な組み合わせは、次のようになります。

①野菜はたっぷり
②たんぱく質系食材2種類以上（赤身の肉、魚、納豆、みそ、豆腐、卵、牛乳、チーズなど）
③ごはん、麺などの炭水化物はひかえめ

ただし、食べ方には注意が必要です。

いきなり白いごはんをかき込めば、血糖値が急上昇してしまいます。体を糖化させる悪習慣です。

血糖値の上昇をゆるやかにするために、**まず野菜から食べましょう**。食事のはじめに野菜（食物繊維・酢の物やおひたしの小鉢であれば、半分ほど食べます）→魚や肉などのおかず（たんぱく質）→ごはん（イモ類も含む）を一巡させたら、あとは好きに食べてかまいません。

はじめに生野菜を食べてもいいのですが、ドレッシングは少なめにして、まず3分の1から半分程度の量を食べます。可能であれば、酢とオリーブオイルあるいはラー油を使って食べましょう。また、野菜でも、肉ジャガのように糖質を含む野菜や砂糖を使った料理は、後回しにします。

くり返しになりますが、野菜は、いくら食べても食べすぎということはありません。1日350グラムといった基準もありますが、とにかくたくさん食べること。旬を味わいながら、**四季折々の野菜をいつでもたっぷり食べましょう。**

「野菜の栄養素」をムダなく吸収しよう！

野菜は、いくら食べても食べすぎということはありません。

糖質、脂質、たんぱく質はエネルギーの源になったり、体の構成成分になったりしますが、野菜に豊富に含まれるビタミンやミネラルが、その手助けをします。体を十分に機能させ、強くするには欠かせない栄養素が、野菜にはたくさん含まれているのです。

「健康日本21」（21世紀における国民健康づくり・厚労省）では、1日に野菜を合計350グラム、うち緑黄色野菜120グラム、淡色野菜230グラムをとるよう、すすめています。

緑黄色野菜は、100グラム中にベータカロテンを600マイクログラム以上含む野菜。ニンジン、ホウレンソウ、小松菜、パセリ、カボチャなどがあります。

淡色野菜はダイコン、タマネギ、キャベツ、レタス、モヤシなどです。

ベータカロテンは、**体内の活性酸素を減少させて、がん予防や老化防止に効果**があります。

緑黄色野菜はビタミンCやカリウム、鉄、カルシウムなどを多く含むことから重視されていますが、淡色野菜にもビタミン、ミネラルや食物繊維が豊富で、免疫力を高めたり生活習慣病を予防したりする効果があります。

淡色野菜は1年中出回っていて手に入れやすいものが多く、くせがないのでたくさん食べられます。

では、「野菜350グラム」とは、どの程度でしょうか。

5種類の野菜（70グラム×5）で見ると、次のようになります。

トマト………中1／2個（プチトマトなら5個）
ホウレンソウ…約3株
ニンジン………中1／2本
キャベツ………大葉1枚
モヤシ…………少量パック（150グラム）の半分

また、キャベツ、モヤシ、ニンジン、ピーマン、タマネギ、ニラを使って「野菜炒め」にすると、1人前強くらいの量になります。

「ずっと若い体」をつくるために、野菜は、どんなにとってても問題はありません。デンマークでは、**野菜を1日400グラムとると、現在（250グラム摂取）よりも寿命が0・8年延び、500グラムだと1・3年延びる**という研究成果もあります。

寿命が延びるだけでなく、野菜をたくさん食べれば、がんや心臓病の発症率が低下することがわかっています。

当クリニックでも、野菜と果物たっぷりの食事を指導しています。

アメリカ・ハーバード大学公衆衛生学教室が推奨する食バランス「ハーバード・フード・ピラミッド」を、当クリニックで少し見直し、日本人向きにアレンジして指導しています（次ページ図表）。

お酒の適切な量も明記されています。適度なアルコール量の原則は、ビール瓶で大瓶1本、日本酒であれば約1合、ワインでグラス2杯、焼酎で0・5合、ウイスキーでダブル1杯が目安です。

アルコール分は1日20グラム（日本酒1合）が目安です。週に1、2日の休肝日を設けます。

「1日に野菜350グラム」を基本に、**野菜の旬も意識すると、なお効果的**です。

私たちは、季節に合わせた体づくりをします。そのサポートをしてくれるのが、旬の野菜です。一般的に葉菜は体を冷やし、根菜は体を温めます。旬がハッキリしている野菜の具体例を挙げると、次のとおり。夏には夏野菜、冬には冬野菜を食べるのが自然です。

春の野菜はタケノコ、セリ、フキ、ウド、ゼンマイ、ワラビのようなアクの強い野菜、緑の濃い野菜が多い。冬が終わって活動的な春になるのですから、体に目を覚ま

「体の中から若返る」栄養バランス

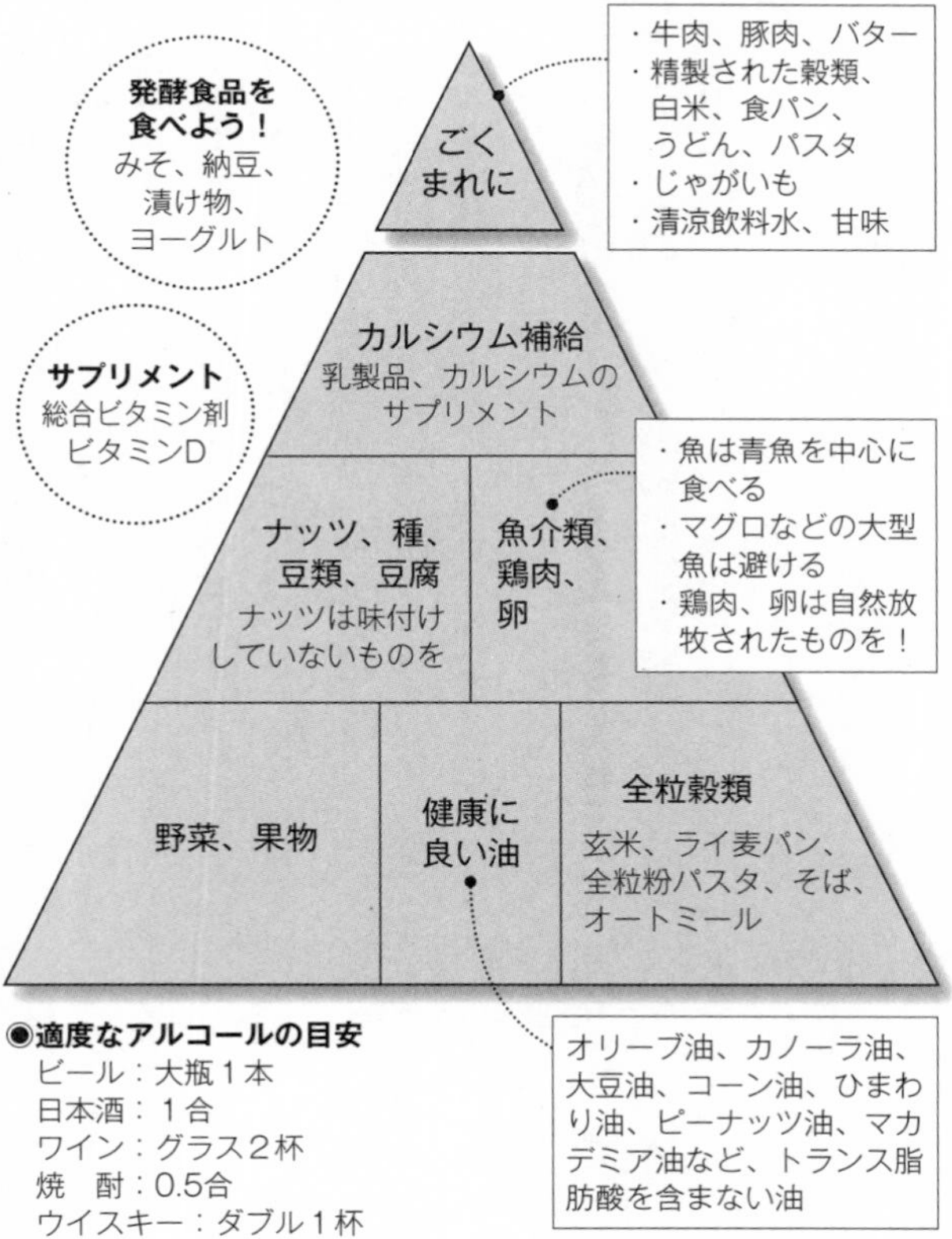
発酵食品を
食べよう！
みそ、納豆、
漬け物、
ヨーグルト
サプリメント
総合ビタミン剤
ビタミンD
ごく
まれに
・牛肉、豚肉、バター
・精製された穀類、
白米、食パン、
うどん、パスタ
・じゃがいも
・清涼飲料水、甘味
カルシウム補給
乳製品、カルシウムの
サプリメント
ナッツ、種、
豆類、豆腐
ナッツは味付け
していないものを
魚介類、
鶏肉、
卵
・魚は青魚を中心に
食べる
・マグロなどの大型
魚は避ける
・鶏肉、卵は自然放
牧されたものを！
野菜、果物
健康に
良い油
全粒穀類
玄米、ライ麦パン、
全粒粉パスタ、そば、
オートミール
オリーブ油、カノーラ油、
大豆油、コーン油、ひまわ
り油、ピーナッツ油、マカ
デミア油など、トランス脂
肪酸を含まない油

◉適度なアルコールの目安

ビール：大瓶１本
日本酒：１合
ワイン：グラス２杯
焼　酎：0.5合
ウイスキー：ダブル１杯

出典：ハーバード・フード・ピラミッド（満尾クリニック監訳&一部改変）

させることを促します。

夏の野菜はキュウリ、トマト、スイカ、ウリなど、水分が多く生で食べるほうがおいしいものばかり。汗をかくのを促しています。ミョウガやショウガといった、ソバやソーメンなどの薬味になる野菜も夏野菜です。

秋の野菜はイモやクリ。これらはでんぷんをたくさん含んでいます。農作物が獲れなくなる冬に備えて、体はエネルギーを蓄えます。

冬はニンジン、ゴボウ、ネギ、ダイコン、サトイモ、レンコンなどを温めて食べるとおいしい根菜。体が温まるので、寒い季節にうってつけです。

野菜の力をじょうずに借りる——。

体にあふれるほどのビタミン、ミネラルをとり入れて「ずっと若い体」をつくっていきましょう。

食べたものを「きっちり消化する」コツ

「若いころに比べたら、食がだいぶ落ちた」

40代になると、多くの人がこんな実感を持つようになります。食べたものを消化・吸収するためには、**胃酸と「消化酵素」の両方が分泌されることが必要**です。どちらも加齢とともに、分泌量が低下します。これが「食が落ちた」原因です。

とくに消化酵素の分泌量低下は、消化がうまくいかなくなることで、栄養素の吸収が十分にできなくなってしまいます。それだけではなく、体から若さを奪い、体を弱くしてしまいます。

酵素には、消化酵素のほかに「代謝酵素」があります。代謝酵素は免疫力や自然治癒力、新陳代謝の働きを持つ酵素。これが不足すると、かぜをはじめさまざまな病気にかかりやすくなります。

この代謝酵素の生産に、消化酵素が大きくかかわっています。消化酵素が消費されると、その分、代謝酵素がつくられなくなってしまうのです。

しかも、一生のうちに人間の体が生産できる消化酵素の量は、決まっています。ということは、消化酵素をたっぷり必要とするような食べ方をするのか、それとも少しずつ長く大事に消化酵素を使う食べ方をするかが、「老けない体」をつくれるかどうかを左右することになります。

このように、**食生活では消化酵素をムダ使いしない食べ方**、言い換えれば、「消化器に負担をかけない食べ方」を心がけますが、分泌量の低下を少しでも補うために、食材からとり入れる必要があります。

食べ物は加熱するほど、消化に時間がかかります。加熱すると、食べ物そのものに含まれる消化酵素が失われるのです。消化酵素は生の肉、魚、野菜などからしか補給できません。

肉は冷蔵庫から外に出して生のまま放っておくと、だんだん色が黒ずんできます。自壊作用といって、肉そのものに含まれる消化酵素の働きによります。肉の細胞に含まれる酵素が、肉自体を消化しているのです。このように、生ものには消化酵素が含まれています。

ところが、よく焼いた肉だと、お皿にしばらく置いていても変化がありません。加熱することで消化酵素がなくなって、自壊作用が進まないからです。

肉は、生より焼肉のほうがおいしいし食べやすいのですが、酵素の働きを考えると、消化器にかなりの負担をかけます。

焼肉店に行くと、大量のつけ合わせの生野菜や発酵食品のキムチが、どんと目の前に出てきます。生野菜、キムチが消化を助けてくれるのです。

発酵食品には、消化酵素だけでなく、腸内環境を整える乳酸菌もたっぷり含まれています。**「焼き肉の箸やすめにキムチ」というのは、じつに理にかなった食べ方**なのです。

また、消化酵素をムダ使いしないためには、食事は動けなくなるほどの満腹になるまで食べないことが肝心です。また、発酵食品、生野菜が食卓の常連になることも大事です。ときおり、献立に魚の刺身も加えます。

満腹は消化酵素のムダ使いであるとともに、活性酸素を大量に発生させます。摂取カロリーが多いほど、その消化のために活性酸素が多く生まれます。

前にも触れたように、活性酸素は老化の原因となります。

つまり、食べすぎるほどに老化が早まり、寿命が短くなるのです。現に、さまざまな動物実験の結果、摂取カロリーが低いほど、つまり満腹でないほど寿命が延びることが報告されています。

「腹八分目」——昔から伝えられる常識ですが、この常識を心がけたい理由がわかっていただけたでしょう。

食事に最低20分かけて、とにかくよく食べ物を噛み、満腹中枢からの「満腹のサイン」を早く受けとります。こうして、体を腹八分目に慣らしていきます。

腹八分目は、日本人の食生活に根づいた「アンチエイジングの最良の知恵」、と言っていいでしょう。

外から消化酵素を補う。体内の消化酵素をムダ使いしない。この二つの合わせワザで、あなたの体はぐっと「ずっと若い体」に近づきます。

「ニンジンスティック」で肌トラブルを撃退！

私たちは呼吸をして生きていますが、吸った酸素のうちの約２パーセントが活性酸素に変化します。

活性酸素には、外敵から体を守る重要な働きがあります。ところが、体内で大量発生すると体を攻撃しはじめるのです。体は、活性酸素から受けたダメージを修復する機能を持っていますが、現在の環境は活性酸素を発生させやすいため、修復機能が追いつかなくなっています。

人間は、**活性酸素を消去する酵素**も持っています。活性酸素に結合して毒性の低い物質に変えます。しかし、この消去酵素は、加齢にともなって減少します。

消去酵素はたんぱく質を材料とし、亜鉛、銅、マンガンなどの補助によってつくられます。これらの栄養素を意識してとり入れる必要があります。とくに、亜鉛は不足しがちです。亜鉛はカキ（牡蠣）、レバーに含まれています。

40歳前後からは、消去酵素の減少を抑えながら、消去酵素の代わりになる抗酸化物質も、積極的にとるようにしてください。

必要なのは、ベータカロテン、ビタミンE、ビタミンC、ポリフェノール、フラボノイド。

なかでも、緑黄色野菜の王様と呼ばれるニンジンは、ベータカロテンが豊富なうえ、食物繊維、ビタミンB_1、ビタミンCのほか、鉄分、カリウム、カルシウムなどのミネラルも多く含まれています。

ニンジンの効能を、手軽に、しかも最大限に高める食べ方があります。

生のスティックにして、オリーブオイルと塩をつけて食べるのです。ベータカロテンは油といっしょにとると、体への吸収力が上がります。

車の排気ガスなどによる大気汚染、紫外線、添加物の入った加工食品、仕事のストレス……活性酸素大量発生の原因です。喫煙やお酒の習慣もそうです。

少しの程度の差こそあれ、現代人は、例外なく活性酸素のダメージを受けています。

活性酸素による体の酸化は、細胞レベルで起こります。女性にはありがたくないシミ、ソバカスは、その代表例です。

体は、60兆個もの細胞が集まってできています。その細胞一つひとつがどのような状態であるかが、体全体に大きな影響を与えます。

細胞が活性酸素の攻撃でダメージを受けているか、いきいきと活動しているか――。

この違いが、**「ずっと若い人」「ぐっと老ける人」の違い**となって現れるのです。

魚には「若返り成分」がいっぱい

若返り成分・ビタミンDが不足すると、老ける。

「ビタミンDが不足している女性のほうが、足りている女性に比べて体重が7・4キロほど重かった。また、BMI平均値でも3・4高かった」

アメリカ・ロサンゼルスの小児病院の研究者がカリフォルニア州南部に住む90人の女性を調査して、2010年2月に発表したものです。

サンプルが少ないので鵜呑みにはできませんが、じつは、海外では、ビタミンDは健康常識として注目されているのです。

これまでの研究により、ビタミンDが食欲を抑えるホルモンであるレプチンをつくるのに必要な栄養素であることが明らかになっています。ビタミンDが不足すると、体内でレプチンの量が減少し、食欲が出て太りやすくなると考えられています。

ビタミンDは、**老化を防ぐために非常に重要な役割を果たすビタミン**です。

しかし、多くの日本人に不足しているビタミンなのです。

血中のビタミンD濃度を調べる検査は高価なため、どこの医療機関でもほとんど行なわれません。私のクリニックでは重要な指標として検査しています。男性では25パーセント、女性では40パーセントの人が、ビタミンD不足です（満尾クリニック調べ）。

そのほかにも、ビタミンDは、カルシウムの吸収にも役立っていますし、大腸がん、乳がん、子宮がん、前立腺がん、糖尿病、うつ病など、じつにさまざまな病気を予防する作用がある、とされています。

ビタミンDの血中濃度を高める方法は二つ。

食事からビタミンDを摂取するか、皮膚に紫外線を浴びてビタミンDをつくり出すか、です。

ビタミンDを含むおもな食材は、魚。サケがもっとも多く含んでいます。

ただ、1日に必要なビタミンDは400から1000IU（国際単位）ですから、食事ですべて補おうとすると、ほぼ毎食、魚を食べなくてはなりません。

全身の4分の1の面積にあたる皮膚に1日15分、週に3日ほど太陽の光を当てることでも、必要な分量のビタミンDがつくれます。その意味でも、ウォーキングはもってこいの運動なのです。

しかし、美容のためや皮膚ガン予防のために多くの人が紫外線にあたるのを避けるようになっています。

こうした現状から、サプリメントでの補充が必要です。幸い、**ビタミンDのサプリメントは安価**なのです。1日1000〜2000IUを目安に服用します。

お酢・ショウガ……「美人の冷蔵庫」には秘密がある

お酢、ショウガ、おから、卵――。

「ずっと若い体」をつくるために、常備しておきたい「四大脇役食材」です。

まず、お酢。酢には肥満を招く一因となる血糖値の上昇を抑える働きや、体脂肪を燃やす働きがあります。とくに、豊富に含まれるアミノ酸は、**体脂肪の分解を促進し**ます。

また、お酢には肝臓を活性化させる作用があります。前に述べたように、肝臓が活発に働いていると、内臓脂肪が燃えやすくなります。

第2に、ショウガ。血液の循環をスムーズにし、体を温めてくれます。トウガラシは手足の末端から温めますが、**ショウガは体の芯、内臓から温めてくれます**。当然、基礎代謝力が上がります。

第3に、おから。成分の半分が食物繊維です。食物繊維は、お腹の中でふくらむので、腹持ちが良くなり、便通を促してくれます。肥満と便秘の「救いの神」のような食材です。また、食物繊維は、肌のトラブルを引き起こす有害物質の排出も促すために、**おからをたくさん食べると美肌効果も期待**できます。

さらに、おからに含まれるイソフラボンが、更年期障害の症状をやわらげ、骨粗しょう症、乳がんの予防や改善にも一役買ってくれます。おからは、まさに女性にとって「いいことずくめの食材」です。

第4に、卵。かつてはコレステロールを高くすると思われてきましたが、今はコレステロールを除去する働きが注目されています。

それはレシチンの働きです。レシチンは脂質の一種で、細胞膜の主成分となる物質です。とくに、脳や肝臓の細胞膜に大量に含まれ、細胞を若々しく保ったり、脳や神経系の働きを活発にしたりします。

また、レシチンは、細胞の中からコレステロールをとり除くときに働く酵素の作用を助け、血管壁にこびりついたコレステロールを除去して血管の若さを保ちます。動脈硬化や狭心症、脳卒中などの予防効果があるのです。

卵は、体に必要な栄養素をまんべんなく含む「スーパー健康食」です。1日1個、食べることをおすすめします。

「腸がきれいな人」は「外見もきれい」の理由

便秘は、女性にとって肥満と老化を呼び込む天敵です。

食べ物が大腸や小腸内に長い間とどまり、排便に必要な水分が吸収されたために便が出にくくなっている状態。これが便秘です。

大腸内に便がこびりついて溜まると、毒素が発生して血液中に流れ、さまざまな器官の働きを悪くします。腸内に長くとどまっている便は次第に腐敗し、腐敗が進むと有害物質に分解され、その有害物質は血液を通して全身に行き渡ります。

この有害物質が原因で、頭痛やめまい、吐き気をもよおします。口臭の原因にもなります。有害物質に分解される際にガスが発生し、お腹に張りを感じます。

突発的な便秘もありますが、「いつも便秘がち」という人も多いと思います。これは、慢性的に腸の活動が低下している状態なので、基礎代謝力が下がっていることを意味します。

便秘は、老化スピードが速くなっているサインなのです。

小腸は、栄養を吸収する臓器。便が小腸にとどまる時間が長くなれば、それだけ便に含まれる養分を吸収します。本来ならとっくに排泄されているはずの、余分なカロリーを体にとり込んでしまうのですから、便秘は肥満の原因にもなるのです。

便秘が女性の敵である理由は、肥満だけではありません。

「出て行くものがちゃんと出て行かない」ために、新陳代謝や自律神経が正常に働かなくなり、ホルモンバランスもくずれます。これらの要因が重なると皮膚の血行が悪くなり、ニキビ、吹き出物、肌荒れを引き起こしてしまうのです。

こうして、便秘を放っておくと体の内側も外側も汚れてしまい、どんどん老け込んでいってしまうのです。けっして、あなどってはいけません。

便秘を克服するには、食事、サプリメントなどで、腸のぜん動を促すような食品を多くとる必要があります。

サプリメントは、プロバイオティクスと呼ばれる種類のものをとるといいでしょう。プロバイオティクスとは、健康に良い作用をもたらす微生物のこと。腸内環境を整えて、腸の活動を活発にしてくれます。

プロバイオティクスの代表は、乳酸菌やビフィズス菌、納豆菌です。普段から、納豆、みそ、ぬか漬けなど、**乳酸菌を多く含む発酵食品を多くとり、そのうえで乳酸菌のサプリメントを使用**すれば、腸内環境はかなり整ってきます。

ちなみに、排便ごとに腸内環境はもとに戻ってしまうので、乳酸菌は、毎日、補給しましょう。

天然オリゴ糖もおすすめです。オリゴ糖は腸内で乳酸菌やビフィズス菌を増やします。しかも、オリゴ糖はカロリーが砂糖の半分以下なので、砂糖に代わる甘味料としても重宝します。

また、ビタミンB_1も強力サポーターです。腸のぜん動運動を調節する自律神経の働きは、ビタミンB_1が不足すると衰えます。

ビタミンB_1は、食材だと豚肉やホウレンソウ、ゴマなどに豊富に含まれます。ニンニクやネギ、ニラとともにとると、体内に効率的に吸収されます。しかし、熱に弱く、調理の際に加熱する時間が長いほど失われるので、サプリメントで補給します。

こうして便秘を治せば、基礎代謝力は自ずと上がります。基礎代謝力が上がれば、正常な便通が訪れます。

この相乗効果があるから、「腸がきれいな人は老けにくい」のです。

「夏でも体を冷やさない」が若さの鉄則

食事をすると、体が熱くなったり汗をかいたりします。食べ物を消化吸収する過程で出る汗です。

体内に吸収された栄養素が分解され、その一部が体熱となって消費されているのです。このため、**食事をした後は、じっとしていてもエネルギー代謝の量が増えます**。

これが、食事誘導性体熱産生（ＤＩＴ）と呼ばれるエネルギー代謝です。

ＤＩＴには個人差があり、たくさん熱を発散する人ほど、同じ食べ物を同じ量だけ食べても、エネルギーの消費が多くなります。食事をした後に体温が上がる人ほど、太りにくくなります。

基礎代謝力と同様、ＤＩＴも、年齢を重ねるごとに低くなります。また、脂肪の人より筋肉質の人のほうが高く、運動習慣のある人も高い傾向にあります。

ＤＩＴは食事時間や食べ方で変わってきます。

ポイントは二つ。

まず、**よく噛んで食べること**。一口に20回～30回、噛みます。すると「活動」をつかさどる交感神経が刺激され、ＤＩＴが高まります。

よく噛んで食べると脳の老化防止にもなりますし、自然とゆっくり食べることになるため、食事中にきちんと満腹中枢が刺激されるという効果もあります。食べすぎを防ぐことができるのです。

それに、早食いをしなくなるため、血糖値の上昇をゆるやかにするという効果もあります。

ＤＩＴを高める二つめのポイント。それは、体を温める食事をすることです。

冬でも夏でも、**じんわりと汗をかく夕食は、「体が老けない夕食」**です。鍋料理、もっと増やしたいメニューです。トウガラシ、ラー油などの香辛料を適度に使用します。熱々で香辛料もたっぷりのキムチ鍋といきたいところですが、胃や腸などを刺激するので、「たまに」ということにしましょう。

また、朝食におかゆをすすめるのには、ＤＩＴを高めるという意味合いもあります。ＤＩＴは朝に一番高まるのです。朝、ＤＩＴが上がれば、体は目を覚まし、活動態勢に入ります。**１日を、元気に過ごすコツ**でもあるのです。

4章

1日10分・週4回――効率よく体を動かそう

「ちょっとずつ、確実に」――リバウンドゼロのやせ方

「ずっと若い体」をつくる習慣、基礎代謝力の高め方を、改めてご紹介します。

その前に、**「ダイエットの不思議」**について、お話ししておきましょう。多くの人がおちいりがちな落とし穴だからです。

早い人で30代半ばを過ぎるころから基礎代謝力の低下、女性ホルモンの分泌の減少で、腰周り、お腹周りに脂肪がつきはじめます。その際に、「とりあえず」と、減食ダイエットにトライする人が少なくありません。

しかし、食事を制限する減食ダイエットは、かえってやせにくい体をつくります。基礎代謝力を低下させるからです。運動をしないで減食ダイエットだけをすれば、脂肪だけでなく筋肉量も落ちてしまい、基礎代謝力も低下してしまうのです。

ある程度、体重が減ったからもういいだろうとか、お腹がすいてつらいとかで、ダ

イエット前と同じように食べはじめるケースも、多々あります。

これは最悪のパターンです。

それまでのダイエットで基礎代謝力が落ちているのですから、とり入れたエネルギーは以前にもまして余ってしまいます。

女性ホルモンの分泌も減っているので、筋肉が落ちた分、体はエネルギーを皮下脂肪ではなく、内臓脂肪として溜め込みます。これが、いわゆるリバウンド現象です。

そして、お腹が出てこない「隠れ肥満」の始まりです。

短い期間で体重を減らすと脂肪細胞のサイズが小さくなり、その細胞から分泌されるレプチンという物質の分泌が減ります。

レプチンは食欲を抑え、エネルギーの消費を高めて肥満のブレーキになる働きがあります。必要とするエネルギーが得られない体は脳が生存に危機が生じたと判断し、レプチンの分泌を抑えて食欲を増進させます。

だから、**急激なダイエットの結果、「もっと太ってしまう」**ことが多いのです。

リバウンドしない内臓脂肪の減らし方は、体を動かす習慣をとり入れて、月に1～2キロ、半年で6～10キロという、スローペースを目安にします。無理をせずに、ゆっくりと減らしていったほうがいいのです。

もちろん、食べる量を急激に減らせば、一時的に体重は激減します。ですが、人間の体は飢えに対応する能力を備えているので、食べ物の量が減ると、体はとり入れたエネルギー量に応じて基礎代謝力を低下させてしまいます。エネルギーを使わず、なるべく溜め込むようになってしまうのです。

それどころか、減食ダイエットは筋肉や内臓などの組織を壊し、健康障害をもたらします。

「やせる技術」ではなく、体の中の老化を進める「老ける技術」だったのです。

こうして、見た目は体重も体型も変わらないのに、お腹の中は脂肪だらけという「隠れ肥満女」となってしまうのです。

「若いからまだ大丈夫」などとタカをくくっていると、将来、精神的にも経済的にもゆとりができて、これから人生を楽しもうとなったときに、生活習慣病に襲われることになります。

女性は中年期に入り、更年期を迎える45歳ころを境にして、生活習慣病にかかる人が急増します。

「ずっと若い体」のダイエットは「ゆっくり」が基本！

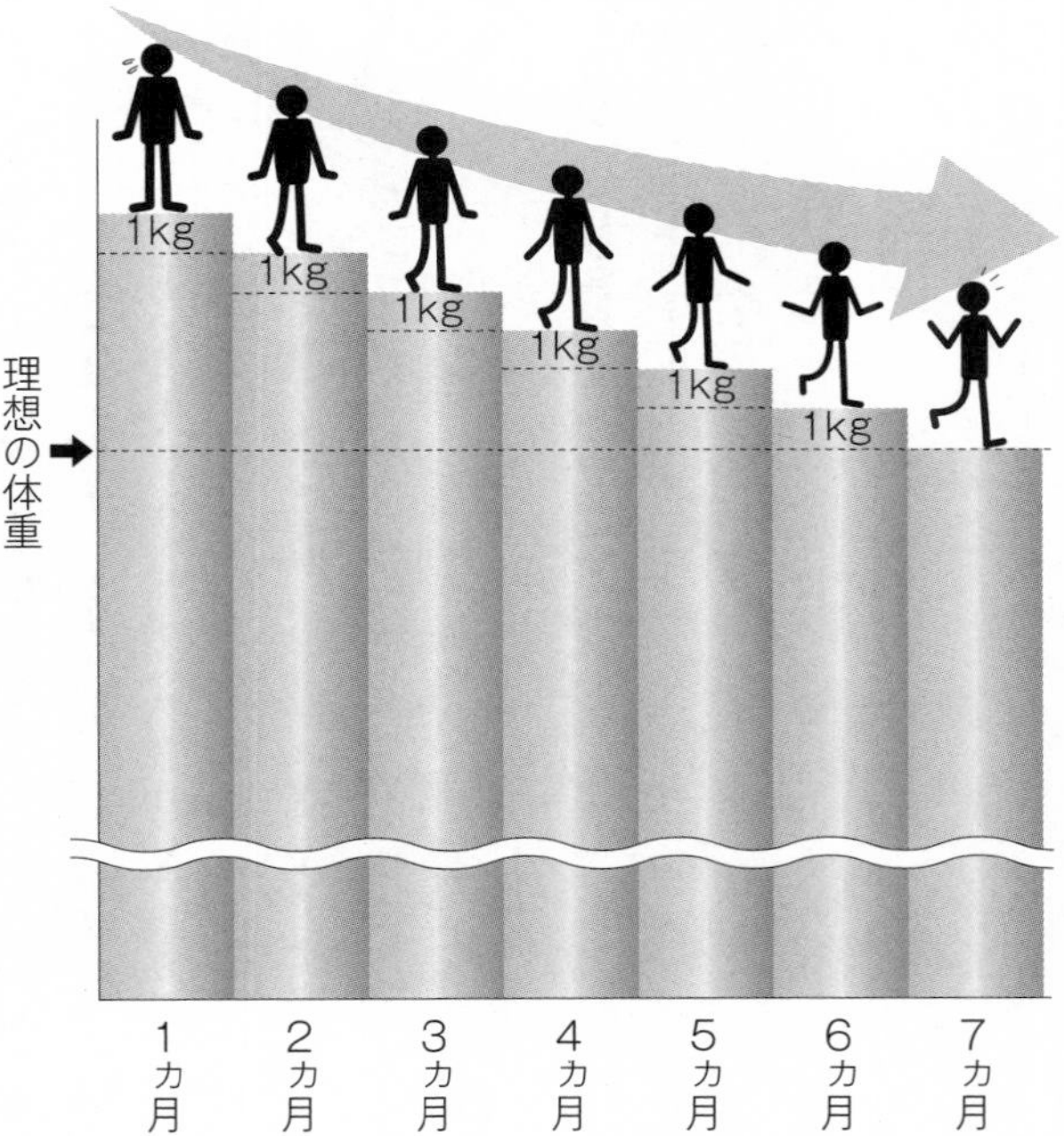

間違ったダイエットにより、内臓脂肪を溜め込んでいる人に多い、と言われています。無理なダイエットは「百害あっても一利もなし」と心得て、体を動かすちょっとした習慣で基礎代謝力を上げ、少しずつ健康的に内臓脂肪を落としていきましょう。

「脂肪を減らす」ではなく「筋肉を少し増やす」

絶対に失敗しない、内臓脂肪の減らし方をお教えしましょう。

ひと言で言えば、「減らすダイエット」ではなく、「増やすダイエット」です。体脂肪を減らすのではなく、筋肉を増やすのです。

がんばって「減らすダイエット」をすれば、一時はスリムな体になれることは間違いありません。しかし、これには「かえって太る」という恐ろしいリバウンド現象がつきものです。

しかも、つらい食事制限とハードな運動の無理がたたって、体を実年齢以上に老けさせます。しょせん、減らすダイエットの効果は「一時もの」なのです。

一方、**「増やすダイエット」をすれば、「ずっと若い体」になれます**。筋力をつけながら筋肉量を増やして基礎代謝力を上げていけば自然に脂肪も減りますし、血流も良くなって、体全体が若返ります。筋肉を使って増やすダイエットの効果は、「一生もの」なのです。

47歳のDさんは事務職。身長154センチ、体重60キロ。お腹小ポッコリの内臓脂肪型肥満です。53キロを目標に、減量にトライしました。

今まで何度も減食ダイエットにトライしては、食事制限がつらくて挫折してきましたが、少し食事内容を見直し、毎日にちょっとした運動をとり入れるだけで、月に2キロ減という理想的なペースで内臓脂肪を減らすことに成功しました。

その例を、ご紹介しましょう。

体組成計で測ってみると、Dさんの基礎代謝量は1260キロカロリー。これを体重60キロで割ると、基礎代謝力は21キロカロリーと出ました。この時点での体年齢は、50代～60歳前後です。

そこで、1日の食事は、40代の平均摂取エネルギー量とされている1700キロカロリー以内としました。献立の見本を示したところ、Dさんは**「ハンバーグ定食いただいていいんですか！　信じられない」**と、びっくり。がぜん、やる気モードに入りました。

朝は五分がゆ（茶わん1杯）、豆腐とワカメのみそ汁、納豆（1パック）、キュウリのぬか漬け（5切れ）。約250キロカロリー。前に述べたように、のどや食道をいためないよう、おかゆはアツアツで食べるのではなく、ほどよい温かさで食べます。

昼は外食。ハンバーグ定食（みそ汁つき）、野菜いっぱいのイタリアンサラダ。約870キロカロリー。

夜は自宅で和食。ごはん（軽く茶わん1杯）、焼き魚（サケ）、ダイコンおろし、キュウリとワカメ、シラス干しの酢の物、鶏肉入りのすまし汁。約560キロカロリー。

総計で、1680キロカロリー。野菜たっぷりのほかに肉、魚、大豆製品と、たんぱく質の多い食事になっています。筋肉づくりに、たんぱく質は欠かせません。

ただし、カロリーを守ることにあまり神経質にならないことと、慣れてきたら、昼のカロリーを700キロカロリー前後に落とすことを指示しました。これは献立にもよりますが、ごはんの量を茶わん半分ほど減らすだけで可能です。

Dさんが1日に消費するエネルギー量（基礎代謝量を含む）を「基礎代謝量の1・5倍＝1890キロカロリー」と設定。

「1・5」は活動量のレベルを表します。体を動かして、1日にどれだけのエネルギー量を使ったかを算出するための指数です。宅配便業などのガテン系（1・7）でなければ、たいていの人は「1・5」のレベルです。

体重を1キロ落とすのに必要な消費カロリーは、7200キロカロリーです。1ヵ月に2キロ減なら、月に約1万4400キロカロリーの消費が必要ですから、Dさんは1日に、480キロカロリーのカロリー減をしなければなりません。これはコンビニの「おかかおにぎり」3個分に相当します。

Dさんが食事でとっていいエネルギー量は、1日1410キロカロリー。1日1410キロカロリー以下の食事をとって、1890キロカロリー消費すれば、目標が達成できます。

しかしDさんは**食事のカロリーをひかえるのではなく、運動をして活動量を増やす**ことにしました。

1日、1700キロカロリーほどの食事をするとなると、運動で300キロカロリーほどエネルギーを消費する必要があります。Dさんは1日の活動量の目標を、1890キロカロリーから2190キロカロリーに上げました。

ウォーキング（1日30分・週4日）とスクワット（1日に10回前後・週4日）にトライしました。ウォーキングは100キロカロリー、スクワットでは100〜150キロカロリーのエネルギー消費があります。

そして、通勤時には**「やや大股速足歩き、階段の昇降、電車では立つ」**ようにしてもらいました。これで100〜150キロカロリーの消費になります。

運動で消費エネルギー量が増えた分、食事に回せば、同年代の平均摂取エネルギー量を、少しですが上回ります。毎日ではなくても、余計に食べられるのです。ただ、天候などの都合でウォーキングができない日もあります。それで、昼食のカロリー量の調節を指示したのです。

筋トレダイエットは、食事面でも運動面でもつらい思いをしなくてすみ、長続きもします。実際、Dさんは余裕で内臓脂肪を落とすことができ、月2キロの減量に成功しました。

「おいしく食べる＋少しの運動」＝若さ！

とにかく「背すじを伸ばす」

背すじを伸ばすだけで、基礎代謝力が上がる。

こう言ったら、驚かれるでしょうか。でも、本当なのです。

姿勢がいいと、首と肩甲骨付近が刺激され、そこに密集する細胞（褐色脂肪細胞）が熱を生み出します。

そして**体内に温かい血液を送って体温を上昇させ、体を「燃える体」にしてくれる**のです。姿勢のいい人に、スラリとしたきれいな体型の人が多いのは、この理由からです。

基礎代謝力をぐんぐん上げるには、次の三つの合わせワザを使います。

一つは、有酸素運動。規則的な呼吸をくり返しながら行なう運動です。食後30分ほどして行なえば、内臓脂肪を燃やすことができます。

姿勢のいい人は、若く見える！　正しい姿勢の基本

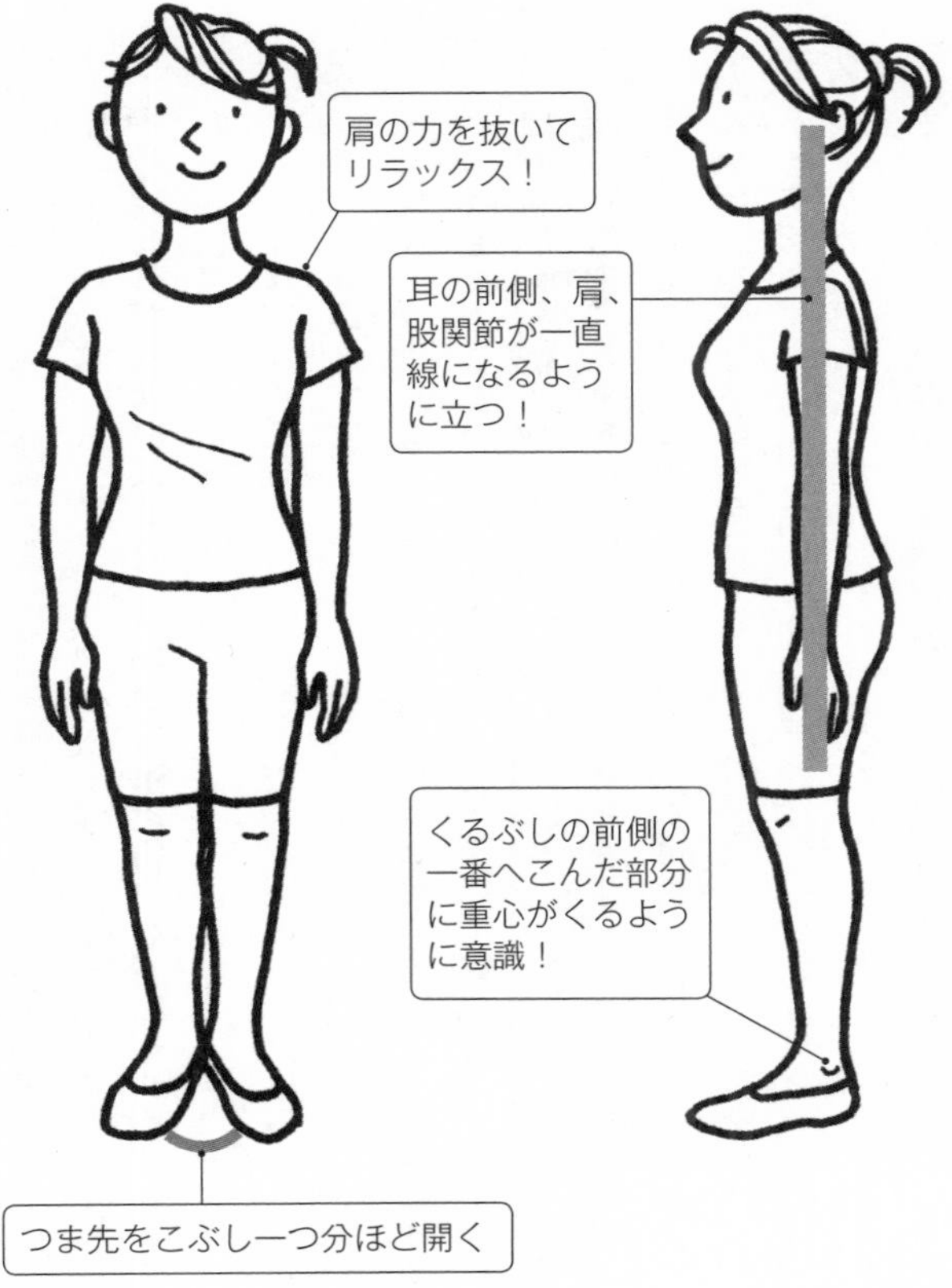
肩の力を抜いて
リラックス！
耳の前側、肩、
股関節が一直
線になるよう
に立つ！
くるぶしの前側の
一番へこんだ部分
に重心がくるよう
に意識！
つま先をこぶし一つ分ほど開く

ジョギングも水泳も効果的な有酸素運動ですが、本書では、より効果的なウォーキングの方法を紹介します。ウォーキングは、大股の速足歩きにすることで筋トレの効果も兼ねるので、**運動をしなれない人でも効果的に基礎代謝力を高められる**のです。

運動は毎日、あるいは息切れするほど行なわなくても、少し息がはずみ、汗ばむ程度で十分です。ウォーキングなら30分程度。前に触れた「超回復期」を得るために必ず、週のうち2、3日は休みます。

二つめは、無酸素運動。グッと息を詰めて、短時間に強い筋力やパワーを発揮する運動です。ダンベル運動などさまざまなやり方がありますが、本書では、1日10分程度やればいいだけの筋トレを紹介します。

無酸素運動には短距離走、重量挙げ、筋トレなどがあります。

もう一つはストレッチです。私は週に1回、ストレッチに通っています。定期的に自分の体のゆがみや、こっている部分を指摘してもらうのは、正しい姿勢を維持していくうえでは欠かせません。

この章では、この三つの合わせワザをメインにお話ししていきますが、その前にとにかく身につけていただきたいのが、「背すじのピンと伸びた姿勢」なのです。

最初に述べたように、良い姿勢をするだけで体が「燃える体」に変わり、運動の効果を高めてくれます。反対に姿勢が悪いだけで、運動の効果は上がらなくなってしまうのです。

まずは良い姿勢のコツを身につけて、効率的に基礎代謝力を高めていきましょう。

「少し速く歩く」がカラダ美人への近道！

「適度な運動」は、「ずっと若い体」でいるための運動のコツです。

「適度」というのはきつくもなく軽くもなく、呼吸が「ハー、ハー」とリズミカルで、5分もすると汗ばんでくる程度です。**「ややきつめ」といった体感**です。

たとえばウォーキングなら、「普段の歩きより速く、歩幅も広い」「ちょっと息がはずむけれど、笑顔が保てる」「長時間、続けられるか、少し心配」「10分程度で、すねや太ももの裏に筋肉痛を感じる」といった体感も、「適度」の目安になります。

大股で速足歩きをすると、たいていはそれくらいの体感になるはずです。

最近、適度な運動によって、老化の原因の一つである活性酸素を消去する能力が上がることがわかってきました。**運動は「抗酸化剤」である**と言われています。

運動による効果は、大きく分けて2点あります。

まずは、運動をすることでエネルギーが消費されます。脂肪が燃えるのです。

次に、運動をすることで筋肉が増え、基礎代謝力が上がり、「太りにくい体」「老けにくい体」になるという効果があります。

そのほかにも、心肺機能が強化されて健康になる、血糖値が下がり、糖尿病や動脈硬化、心筋梗塞の危険性が低くなる、といった効用もあります。

運動は大きく分けて、「有酸素運動」と「無酸素運動」「ストレッチ」の3種類があります。運動に必要なエネルギーを得るのに、酸素を使うか使わないかの違いです。

有酸素運動は長い時間、体を動かしつづける運動で、運動中は絶えず呼吸により酸素を体内にとり込みます。体脂肪を燃やす効果があります。

酸素をたくさんとり込めるようになると、心肺機能が高まって、長く運動していても息切れをしないようになります。有酸素運動は、全身持久力（スタミナ）をつける運動なのです。

全身持久力の低い人は高い人に比べて、心臓・血管の病気にかかるリスクが高く、死亡率も4、5倍も高い、という研究成果があります。

エネルギーを消費する際、活性酸素が生まれます。「ゼーゼー」「ヒーヒー」と息も絶え絶えになるまで運動すると、エネルギー消費が多くなり、活性酸素の発生量が増えます。

ところが、全身持久力を高めると、同じ運動を行なっても「ゼーゼー」「ヒーヒー」にはなりません。そのうえ、エネルギー消費量が少なくてすむので、活性酸素の発生量が抑えられます。逆に、体の酸化を止める効用があるのです。

全身持久力を上げるには、「ややきついと感じるレベル」「1日合計30分を1週間に4日の頻度」の条件を満たすことです。

効果的なのは、ウォーキング、ジョギング、ゆったりとした水泳、ゆっくりめのサイクリングなど。なかでも、**もっとも手軽で効果的なのは、やはりウォーキング**です。

ジョギングやサイクリングは、はじめはゆっくりしたペースで行なっていても、慣れてくるとどうしてもペースを上げてしまいます。その結果、心臓に負担をかけたり、活性酸素をたくさんつくり出したりするだけでなく、ひざなどをいためることが多くあります。水泳も、人によっては体に障るほど「泳ぎ込んで」しまいかねません。

ウォーキングには、そうした心配がありません。ひざや足首、腰などに負担が少なく、誰でもできる有酸素運動です。**これだけで、十分**なのです。

本当に効く「10分間ウォーキング」正しい方法

もっとも効果的なウォーキングの方法を紹介します。

原則は三つ。

①速足、大股歩き
②1日に「10分間×3回」を目安に
③週に4日、行なう

15分間を2回でもいいのですが、これはかなりのハイレベルです。がんばるのは、禁物です。挫折の誘惑に駆られやすいからです。また、行なう時間を決める必要はありません。決めると、義務感からストレスを受けて、これも挫折の原因になります。

運動不足の人は、普段の歩きから始めます。そして、焦らずに自分に合った「ややきつめ」のレベルを見つけます。ただしこの間、**「今、私はウォーキング、やってるぞ」と、意識を持って行なう**こと。そうでないと、何日か経つとウォーキングの決意がどこかに飛んでいってしまいます。

「1日1万歩」と言われていますが、距離や歩数ではなく、時間を重視して歩きます。30分続けても、10分間ウォーキングを3回やっても、エネルギーの消費量や体脂肪の減り方が変わらないことが、最近わかってきました。

ウォーキングは、本当に「いいこと」ずくめです。

足腰の筋肉を意識的に使い、しかも普段よりも負荷がかかるので、筋力や体力がアップします。姿勢を良くして行なうので、腹筋、背筋も鍛えられます。ウォーキングは筋トレの役割も果たすのです。

歩く女は美しい！ ウォーキング前の準備運動

❶上半身のストレッチ

背すじを伸ばし、肩幅くらいに足を開いて立ちます。両手をまっすぐに上げ、左手で右の手首をつかみ、脇腹に気持ちいい伸びを感じるまで真横に倒します。左右を入れ替えて同様に行ないます。

❷下半身のストレッチ

右足を歩幅１歩分ほど前に出し、体の重心をゆっくり前に移動させます。両手を右のひざに乗せ、左足のアキレス腱と股関節を痛くない程度に伸ばします。左右を入れ替えて同様に行ないます。

歩く女は美しい！　効果てきめんのウォーキング法

目線はまっすぐ！
10メートルほど
先を見る感じで
呼吸は
「ハー、ハー」
リズミカルに！
肩はリラックス！
両ひじを軽く曲
げて前後に大き
く振る
背すじはピンと
伸ばして！
大股で、呼吸が
乱れない程度に
速足で歩く！
つま先で地面を蹴って、
かかとから着地！

ところで、気がついたらほおづえをついていたこと、ありませんか。あるいは、姿勢が悪くなってきてはいませんか。じつは、**ほおづえと悪い姿勢は、腹筋、背筋の衰えを示し、体が脂肪系に傾いている兆候**です。この二つに覚えがある人は、ひときわウォーキングを始める必要があります。

ウォーキングで、筋肉だけでなく骨も丈夫になります。日光に当たることで、体内にビタミンDがつくられます。ビタミンDはカルシウムの吸収を助ける働きを持つので、さらに骨を丈夫にします。

心肺機能が高まって、全身持久力がつきます。

全身運動なので、血液が体内をくまなくめぐり、血圧が安定します。

酸素を多くとり込むので、食事でとった糖質や脂質をすぐに燃やし、生活習慣病の元を絶ちます。さらに体脂肪も燃焼させるので、高いダイエット効果があります。

汗をかいて新陳代謝が良くなり、また血行も良くなるので、肌が若々しくなります。

脚の筋肉が引き締まり、美脚効果もあります。

爽快感や目的意識、達成感がストレスを解消します。

ウォーキングのいいところは、特別にそのための時間をとらなくても、普段の生活にとり込んで行なえるという点です。つまり、継続しやすいのです。

通勤時に自宅から最寄り駅、到着駅からオフィスまでを、ややきついレベル（慣れるまでは、ややきついに近い程度でかまいません）の大股速足で歩きます。ただし、限度は10分まで。帰りもあるので無理をせずに、たとえば行きは自宅から最寄り駅まで、帰りは最寄り駅から自宅までと組み合わせます。休み時間にも行なえます。休日は、普通歩きの散歩を１時間程度、行なってみます。

これだけで持久力が上がり、筋力もついてきます。

ざっと挙げるだけで、これほどさまざまな効能があるウォーキング。すぐに始めない手はありません。

ウォーキングには、**自分に合った専用のシューズ選びが大切**です。歩いていて一番はじめに着地するかかとの部分には、相当な衝撃が加わるので、かかと部分のクッション性を重視して選びましょう。

続けるために、形から入るというのも一法です。お気に入りのシューズを探して、楽しみにウォーキングを始めてみてください。

あなたの「今の筋力」はどれくらい？

筋トレは、スクワットだけ。しかも1日10回、週4日だけでかまいません。

たいへんそうなイメージがつきものの筋トレですが、基礎代謝力を上げるには、これだけで十分なのです。

ここまで、筋トレは「スクワット、腕立て伏せなどを1日10分」と再三、述べてきましたが、ウォーキングで太ももの裏やすね、ふくらはぎの筋肉に十分な負荷がかけられていれば、**スクワットだけでも「1日の筋トレの効果」**が得られます。

その前に、まずは自分の筋力をチェックしてみましょう。

デスクやテーブルの側で、1分間、右足で片足立ちをします。

次に、左足で片足立ちをやはり1分間します。よろけて危ないと思ったら、デスクに手をつきます。

よろけながらでも、デスクに手をつかないでできれば、筋力はまだ弱っていないことになります。左右の足、どちらが弱いかもわかります。

左右とも手をつかずにできた人は、片足立ちのままひざを軽く曲げてみます。左右替えて、それぞれ10～20秒ほどでいいでしょう。

お尻の筋肉（大殿筋）、太もも前面の筋肉（大腿四頭筋）、太もも後面の筋肉（ハムストリング筋）の筋力が衰えているかどうかのチェックです。

下肢の筋力は立つ、歩く、座るといった基本的な動きをはじめ、さまざまな体の動きをつくるうえで、非常に大切な役割を持っています。

お尻の筋肉は、片足立ちのバランスをとります。太もも前面の筋肉は、ひざを伸ばして立ちつづけるときの力、太もも後面の筋肉は、ひざを曲げて立ちつづける力になります。

40代になると、これらの筋力はびっくりするほど低下します。

太もも前面の筋力が弱いと、立つときにテーブルやソファの肘かけに手をつきます。

太もも後面の足を上げるための筋肉の力が弱いと、よくつまずきます。

片足立ちは筋肉のバロメーターになりますし、それ自体が筋トレとしての機能もはたしますから、スクワットに加えて習慣化したい筋トレです。

週に4日ほど、気がついたときにそれぞれ1分間、続けます。これだけで、大殿筋、大腿四頭筋、ハムストリング筋の筋力は、グッとアップします。

「1回10分、週4回」——これだけでいい！

ラクなのに、ぐんぐん筋力を鍛えることができる——。

そんな「都合のいい筋トレ」が、スクワットです。

筋トレは、軽くていいのです。ジムに通ってマシンを使う方法もありますが、筋肉量を増やすトレーニングは、自宅で行なうスクワットでこと足ります。むしろ継続することが重要なので、**自宅で行なえること、きつくないことが一番大切**なのです。

筋肉は使わなければドンドン衰え、使えば使うほど、蓄えることができます。まだ自由に動けるうちに筋力を蓄えておけば、50代、60代、70代になっても、元気で楽しく人生を送れることでしょう。

本書で紹介するスクワットは、無酸素運動の常識に反して呼吸しながら行ないます。

筋トレを行なう時間帯は、いつでもかまいません。

運動効果を持続させるために、週に4回は行なうようにしましょう。

スクワットの留意点は、次の二つ。

一つめは、足を屈伸する際は、ゆっくりとした動作で呼吸を止めずに、ひざを最後まで曲げ切らない、伸ばし切らないようにします。ゆっくりした動作のなかで、体がジワーッと熱くなるのを感じることも重要です。

二つめは、鍛える筋肉をつねに意識しながらトレーニングします。筋肉は脳から出た指令で動きます。**脳が意識を集中させればさせるほど、筋肉はよく動きます。**

徐々に筋力が上がるにつれて、「たったこれだけ?」のスクワットでは、ひょっとしたら物足りなく感じてくるかもしれません。

そんなときのために、オプションの筋トレも紹介しておきます。座ったままできるものですので、テレビを見ながらでも、やってみるといいでしょう。ただし、筋トレのメニューを増やしても、1日の合計は、5分~10分ですませます。

「たったこれだけ！」よく効くスクワット

①背すじを伸ばして足を肩幅くらいに開いて立ち、つま先を「逆ハの字」に開きます。

②両腕を前に伸ばし、ひざをつま先と同じ方向に向けて曲げます。そのまま1秒間ほど保ち、もとの姿勢に戻ります。

①～②の動作を10回くり返します。体がジワーッと温かくなるのを感じるはず！

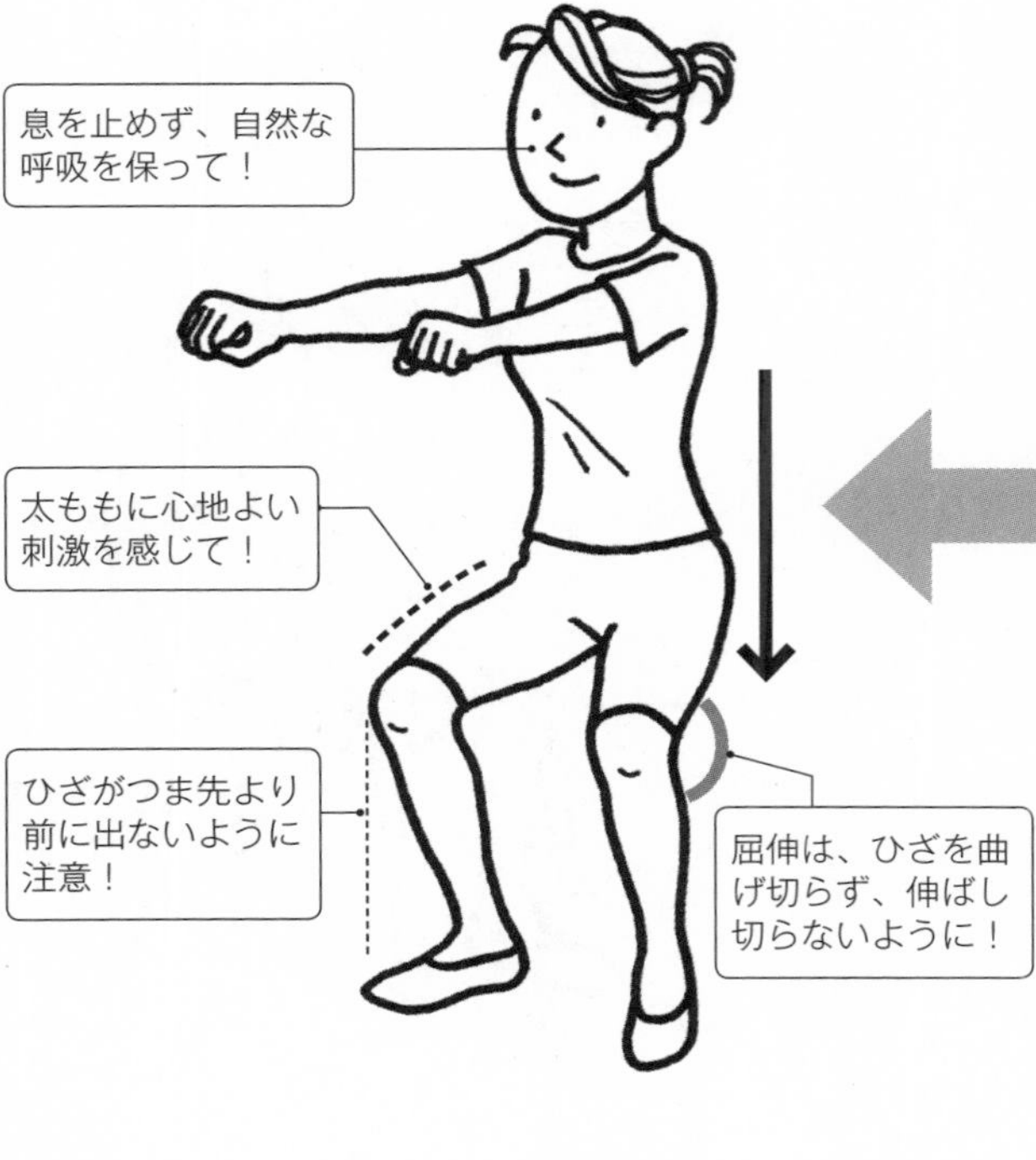
息を止めず、自然な呼吸を保って！
太ももに心地よい刺激を感じて！
ひざがつま先より前に出ないように注意！
屈伸は、ひざを曲げ切らず、伸ばし切らないように！

座ってできるラクラク筋トレ❶

太ももの表側の筋肉を鍛える！

①背すじを伸ばしていすに深く腰かけ、いすのはじをつかみます。
②左足のひざをまっすぐ伸ばし、そのまま５秒ほど保ちます。
③右足も同様に行ないます。左右交互に10～15回くり返します。

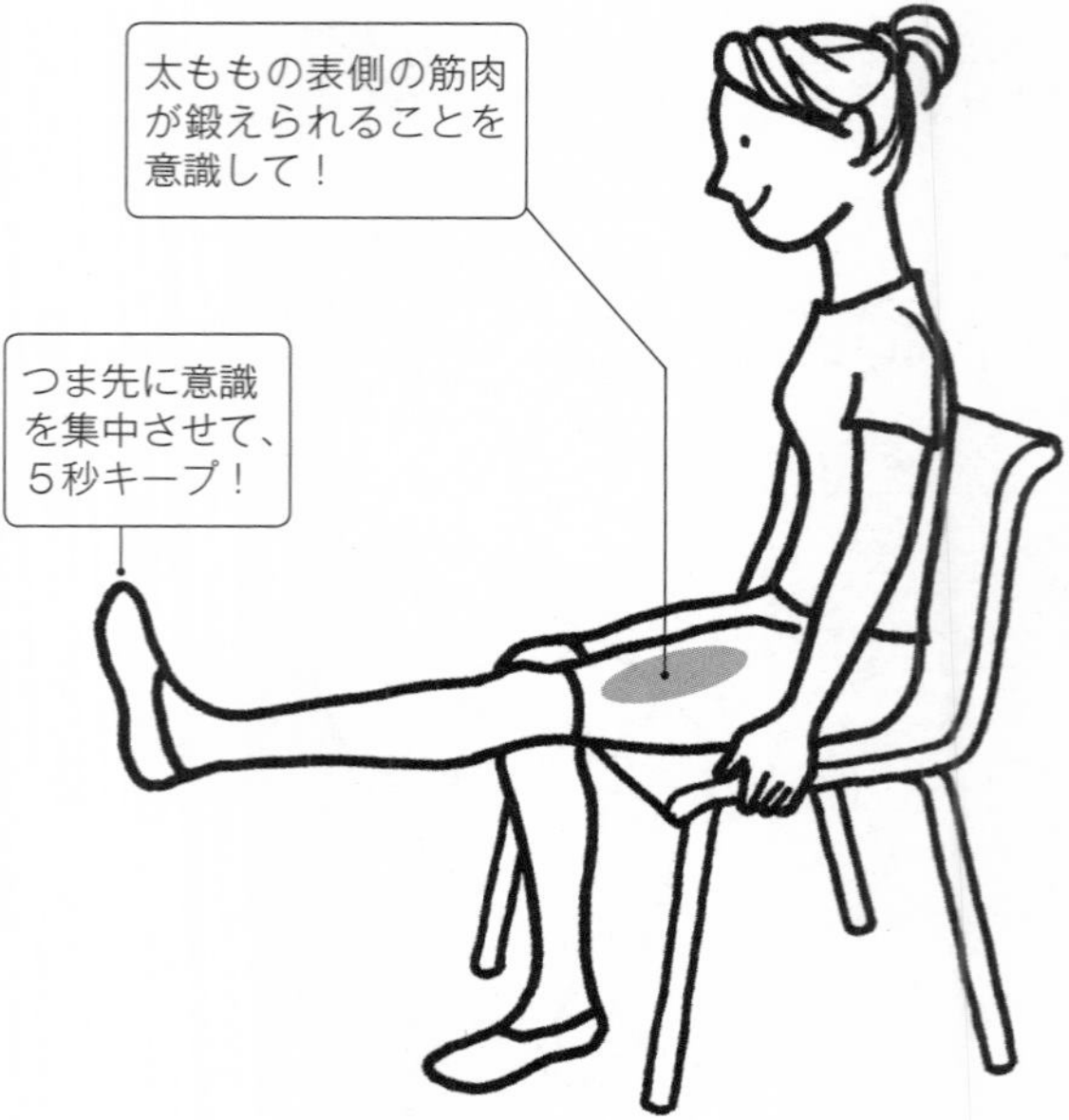
太ももの表側の筋肉が鍛えられることを意識して！
つま先に意識を集中させて、５秒キープ！

座ってできるラクラク筋トレ❷

太もものつけ根の筋肉を鍛える！

①背すじを伸ばしていすに深く腰かけ、いすのはじをつかみます。
②ひざを45度ほど上に上げ、そのまま5秒ほど保ちます。
③左足も同様に行ないます。左右交互に10～15回くり返します。

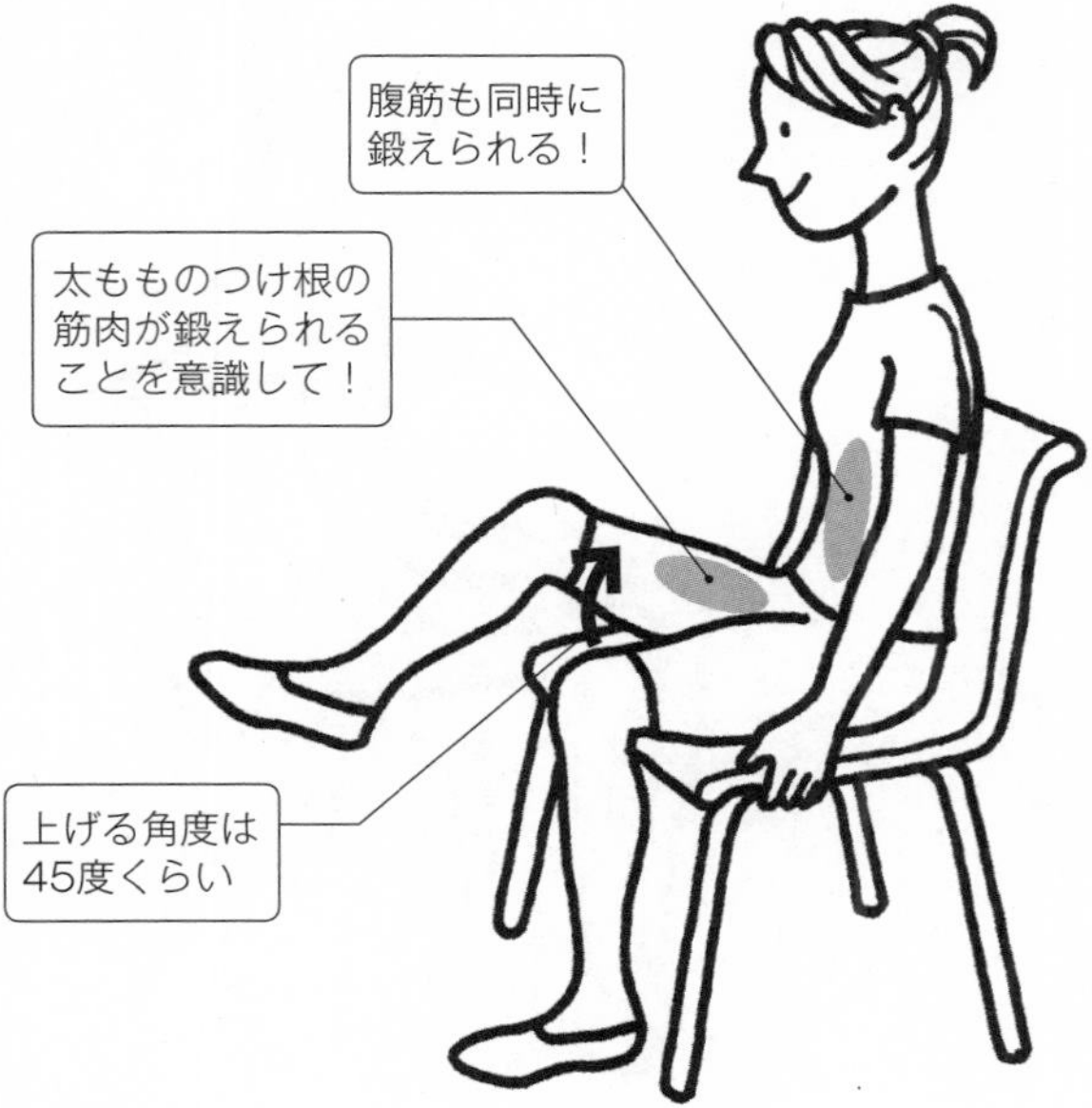
腹筋も同時に
鍛えられる！
太もものつけ根の
筋肉が鍛えられる
ことを意識して！
上げる角度は
45度くらい

座ってできるラクラク筋トレ❸

ふくらはぎとすねの筋肉を鍛える！

①背すじを伸ばしていすに深く腰かけ、両手をかるく太ももの上に乗せます。
②両足のかかとを上げられるギリギリまで上げ、そのまま５秒ほど保ちます。

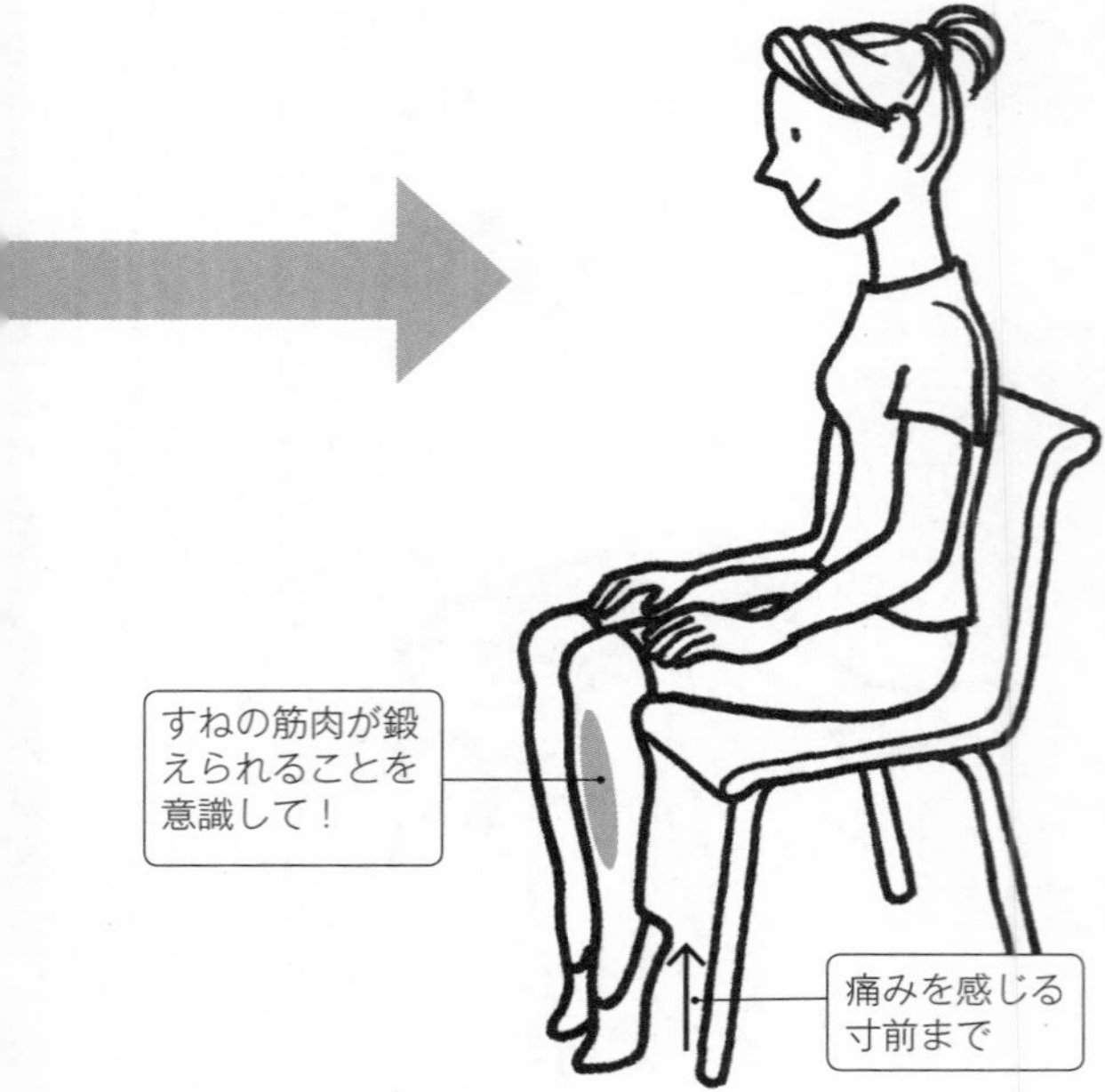
すねの筋肉が鍛えられることを意識して！
痛みを感じる寸前まで

③次に両足のつま先を上げられるギリギリまで上げ、
そのまま5秒ほど保ちます。

②と③を交互に10～15回くり返します。

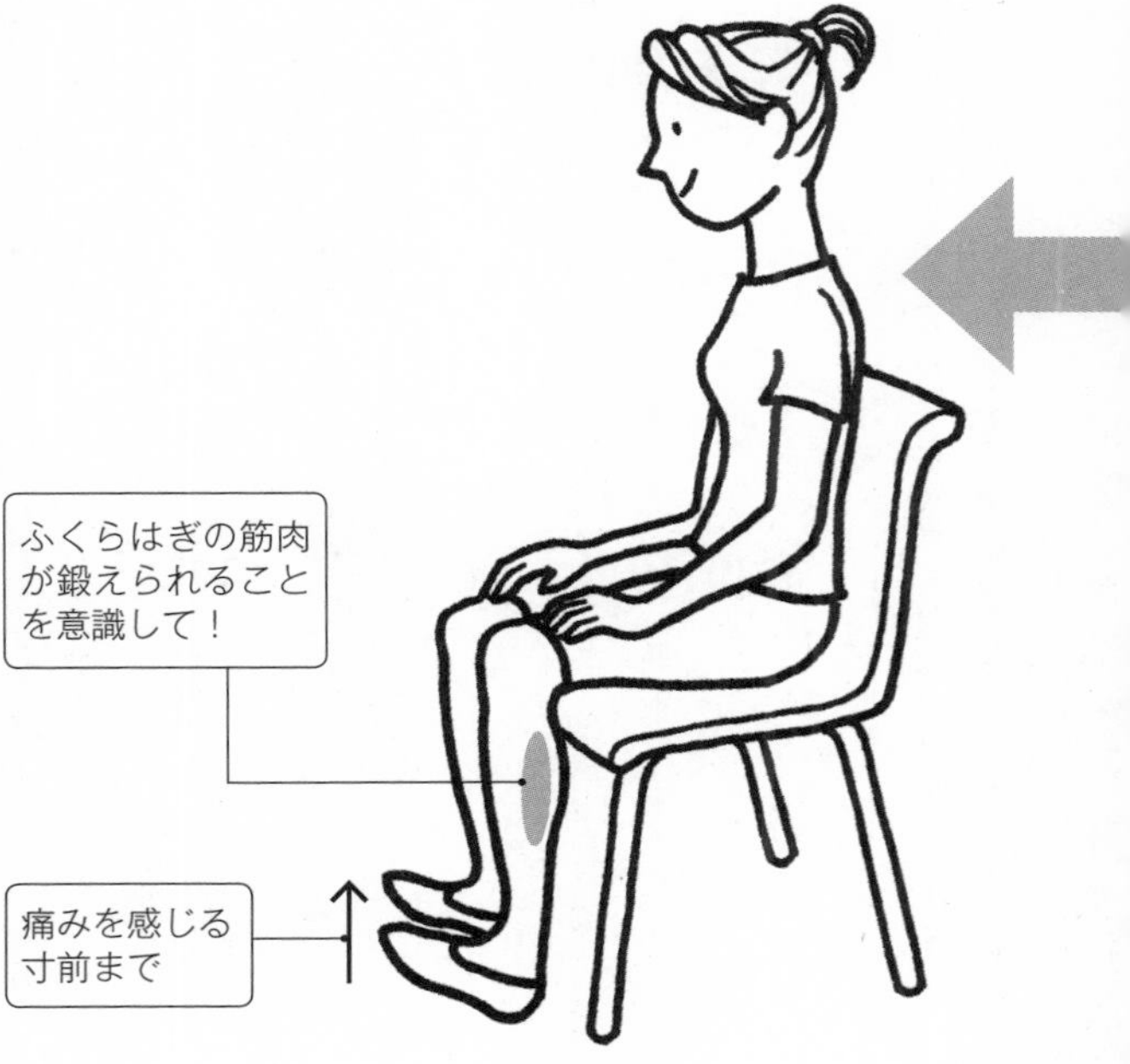
ふくらはぎの筋肉
が鍛えられること
を意識して！
痛みを感じる
寸前まで

とにかく、**体の負担にならないようにすること、がんばらないこと**が、筋力アップの秘訣です。

筋トレは「がんばってはいけない」

ウォーキングとスクワット。

くり返しますが、運動はこの二つをメインにします。

これに、先ほど紹介した片足立ちと、1章で紹介した「血行促進のストレッチ」を加えれば、万全です。

体を動かすことに慣れてくれば、家にいるときも、前よりグンと活動的になっている自分に気づくはずです。

自然と自己流の首すじや背すじ、あるいは下肢や腕を伸ばすストレッチを行なったり、本書で紹介した筋トレ以外にも、腕立て伏せなどの別メニューの筋トレをやったりするようになるものなのです。

雨の日、寒い日、ウォーキングは部屋の中でやってみましょう。

歯を磨いたりテレビを観たりしているとき、太ももを床と水平になるくらい上げて、その場で足踏みウォーキングです。太ももを上げることで、大股速足歩き並みの負荷がかかります。両腕も大きく振り、腕の筋肉を使います。体がジワーッと熱く感じるまでやってみましょう。

体脂肪を効率的に燃焼させるスロートレーニング（簡単な筋トレ）を提唱する、東京大学大学院総合文化研究科の石井直方教授の研究成果によれば、簡単な筋トレでも、1日のカロリー消費能力が、3ヵ月後には45分の速足ウォーキングの消費量（100〜150キロカロリー）並みにアップするそうです。

また、ウォーキングとの組み合わせであれば、体脂肪を燃やすのに格段の効果が出たとも発表されています。

大事なのは、筋肉を休める日を持つこと。1章で触れた「超回復期」のミラクルを利用します。

筋トレを行なうと、筋肉線維が傷つき、破壊されます。筋肉痛の原因です。

破壊された筋肉はもとに戻ろうとして、自然治癒を始めます。このとき、次に同じような負荷をかけられても耐えられるように、これまでより、筋肉線維を少しだけ太くします。

筋肉系の体を効率的につくり上げるために、筋肉を休める日をつくるのです。

筋肉痛が出たら体を休め、痛みが引いてから筋トレを再開するのが原則ですが、筋肉痛が出なくても休筋日を設けます。1日おきか、空けても2日のサイクルがいいでしょう。**じょうずな筋トレのコツは、がんばらないこと**。これに尽きます。

休筋日は、ウォーキングも片足立ちもやめます。ただ、ストレッチは積極的に行ないましょう。

この日は階段の上り下り、長めの普通歩き、家事などで、体を動かします。休息だからと、ダラダラしてはいけません。せっかく筋肉をつけても、週末をダラダラゴロゴロしていては、体はあっという間に、もとの脂肪系の体に戻ってしまいます。

歩く・座る……ちょっと変えるだけで体は若くなる！

ウォーキングと筋トレの効果を、さらに高める方法があります。

たとえば……、

一駅先のスーパーや野菜の産直店に歩いていき、少し重い荷物を手に持って帰る。

週２回だった掃除機がけを３回に増やし、普段かけないところまで念入りにやる。

電車で座席が空いていても、座らない。

駅、オフィス内では、できる限り階段を利用する。

つまり日常生活のなかで、**マメに、少しだけ多めに体を動かす習慣**をつけるのです。

近年、運動以外の生活活動が重要視されています。

毎朝、1時間ほどウォーキングをする中高年の方が、年々、増えてきていますが、万歩計は1日に7000歩程度というケースが少なくありません。ウォーキングで安心して、あとはあまり体を動かさないからです。ウォーキングをたっぷりやっても、運動不足になっているという、珍現象です。

こうした落とし穴にはまらないように、日常生活上の活動に少し気をつける必要があるのです。それが、冒頭に挙げたような習慣です。

こうした、運動と同じ価値がある日常活動を、「ニート（non-exercise activity thermogenesis＝非運動性活動によるエネルギー消費）」と呼びます。ちょっとした移動で立ったり、歩いたりといったチョコチョコ動きを指します。ちょっとしたことばかりですが、あなどれません。

肥満を防ぎ、元気に若々しく暮らすためには、運動以外の時間もできるだけ体を動かすようにします。これが、筋力を高めるための効率的な方法です。

ニートがあれば、ウォーキングも筋トレも効果倍増。**「ずっと若い体」をつくるコツは、なんということのない日常のなかにも隠れている**のです。

毎日「若返りのチャンス」がいっぱい！

5章
女40代からの「免疫力」を高める生き方

血管が若返ると、外見も若返る

「ずっと若い体」のつくり方の最後の仕上げ――。それは、体年齢を若くして免疫力を高める習慣です。

まず重要なのが、**血管年齢**。なかでも、とくに「ずっと若い体」に関係しているのが、動脈です。

健康な動脈は弾力に富み、酸素と栄養を血液に乗せて全身にくまなくめぐらせる役割をします。

しかし、動脈は歳を重ねるごとにしなやかさを失い、硬くなっていきます。血管壁が厚みを増し、血液の通り道が狭くなります。動脈硬化です。

動脈硬化は、コレステロールと中性脂肪が大きく影響します。どちらも肥満が関係しています。それに加えて、喫煙やストレス、運動不足、欧米化した食生活も原因になります。放っておくと、脳梗塞や心筋梗塞といった病気を招きます。

動脈の状態が、血管年齢を表します。健康長寿でいるためには血管の若さが大事だというのは、もはや常識になっています。血管年齢を下げることが、老化を防ぐ最善策でもあるのです。

老化の原因の一つに、細胞内に不要な重金属が蓄積することで、ホルモンバランスをはじめとする体の重要なバランスが次々とくずれはじめる、というのがあります。私のクリニックでは「キレーション治療」という体内に溜まっている重金属などをとり除く点滴治療を行なっています。その治療で血管がやわらかくなる、という驚くべき結果が出ています。

今まで、動脈硬化は治らないとされていて、一度硬くなった血管をもとに戻すのは不可能だ、と言われていました。そのため、これまでは血管を若く「保つ」ことのみが語られてきましたが、そうではなく、若さを「とり戻す」方法が、現実に可能になっているのです。

キレーション治療は専門院でしか行なえませんが、**自分の力で血管の若さをとり戻す方法**もあります。二つほど挙げておきましょう。

一つめは、食生活の改善。動脈硬化を防ぐEPAやDHAを多く含むサバ、アジ、イワシなどの青魚を積極的にとりましょう。

豆腐や納豆など良質なたんぱく質を含む大豆製品、海藻類やこんにゃくなどの食物繊維は、血中のコレステロールを下げます。また、抗酸化作用がある緑黄色野菜を食べるのも効果的です。活性酸素を防ぐことで、血管を若返らせてくれます。野菜や果物に含まれるカリウムは、血管を保護する役目を持っています。

二つめは、有酸素運動。**ウォーキングには、血管年齢を下げる作用もある**のです。

血管年齢はこのように、生活習慣の改善で下げることができるのです。これは、体年齢を若くすることでもあります。

反対に、動脈の血管年齢を上げる習慣というのもあります。その最たるものが、早食いです。

早食いをすると、どうしても食べすぎてしまいます。満腹中枢に刺激を与え満腹感を得る前に、ドンドン食べてしまうからです。食べすぎるということは、余計な脂質をとってしまうということです。コレステロールが溜まり、血管がみるみる衰えていきます。そのほか、喫煙、暴飲暴食、ストレスも、血管を老けさせる大敵です。

ヨーグルトで体の中を大そうじ！

海藻は食物繊維を多く含み、**腸内環境を整えてくれる、「体のそうじ屋さん」**です。便通の改善効果が期待できるだけでなく、生活習慣病を予防してくれます。

海藻には、ビタミン類（B_1、B_2、B_6、B_{12}、C、K、葉酸、パントテン酸）、カリウム、カルシウム、マグネシウムなどのミネラル、強い抗酸化作用を持つベータ－カロテンも、豊富に含まれています。

とくにビタミンやミネラルは体内ではつくり出せません。ノリ、コンブ、モズク、ワカメといった海藻を意識してとるようにしましょう。1食のうち、一つか二つ、これらの食材をとり入れるようにしてください。

体の中のゴミを出す。
免疫力のアップには欠かせません。

食物繊維は、排泄に大きくかかわる物質。きちんととれていると、排泄もきちんとされます。食物繊維が不足すると排泄がきちんとされないので、余分なエネルギーが排泄されず、ふたたび体内に溜め込まれてしまう原因になります。

肥満の直接的原因ではありませんが、長い目で見ると、間違いなくその一因になります。

食物繊維は食物に含まれる繊維質でカロリーはなく、それ自体は栄養にはなりませんが、便を軟らかくして量を増やす、腸内の有害物質の排出を促す、腸内細菌のバランスを良くするなど、まさに「そうじ屋」と呼ぶにふさわしい役割を果たします。

腸内のそうじで忘れてならないのは、プロバイオティクス（有用な微生物）です。

腸内には、乳酸菌やビフィズス菌などの良い菌（善玉菌）、有害な働きをする悪い菌（悪玉菌）など、さまざまな細菌がすみついています。数百種類、数としてはおよそ100兆個。私たちが健康でいられるのは、プロバイオティクスと呼ばれる乳酸菌などが、悪い菌を抑えて一定のバランスを維持しているからです。

腸内環境は食習慣や加齢、ストレスの影響を受けやすいので、プロバイオティクスなどを利用して腸内環境を整えることが大切です。乳酸菌やビフィズス菌などの善玉菌が腸内で優勢になれば、便通改善、消化・吸収の改善、免疫力の上昇など、私たちが健康長寿でいるために欠かせない役割を果たしてくれます。

善玉菌を増やす食材をとることが重要です。青菜野菜、根菜類に含まれる食物繊維、ヨーグルト、乳酸菌飲料、漬物、納豆などの発酵食品が適しています。

5年後の私のために飲む「1杯のジュース」

たった1杯の野菜ジュースと水だけで、免疫力を高めることができます。

「野菜ジュースと水だけで1日を過ごす」マイルド断食です。

消化器官に休養を与えることで**体をリセットし、強くする**のです。

マイルド断食を行なう時期は、春か秋が適しています。夏や冬は暑さ寒さに対応するためにエネルギーが必要な季節です。そこでマイルド断食を行なってしまうと、エネルギー不足になり、体調をくずしかねません。

また、体脂肪率が15パーセント以下の人、心臓に疾患がある人にはおすすめできません。

マイルド断食で飲むジュースには、フレッシュな野菜と果物を使います。市販の野菜ジュースは加熱処理がされていて、ビタミンCなどの成分が壊れているものが多いからです。

フレッシュな野菜と果物を使って自分でつくれば、ビタミン、ミネラル、食物繊維がきちんととれます。食品添加物の心配もありません。

はたして野菜ジュースと水だけで1日を乗り切れるのかと、不安に思うかもしれません。でも、大丈夫です。野菜と果物には果糖という糖分が含まれており、これが1日を乗り切るだけのエネルギーになります。

野菜ジュースは、胃腸に負担をかけません。素材となる野菜や果物そのものに、消化を促す消化酵素が含まれているからです。

マイルド断食は**老廃物の排出、体の若返り**にとても効果があります。

腸は、ストレスの影響を受けやすい器官。腸の機能が低下すると、便秘、下痢に悩まされます。

体がみるみる強くなる！　満尾式・野菜ジュース

材料（1日分）

トマト…………１個
ニンジン………１本
ホウレンソウ…１／２把
レタス…………３枚

これらの材料で飲みにくい場合は、リンゴ１個またはレモン汁１個分を加える。ミネラルウォーターを加えても可。

マイルド断食――やり方

上記の「満尾式・野菜ジュース」を、朝・昼・晩に１杯ずつ、食事代わりに飲みます。翌日はおかゆなど、消化の良いものを食べましょう。

しかし、がんこな便秘で悩んでいる人でも、月2回のペースで2ヵ月、マイルド断食を行なえば、それまでの苦しみがウソのように、快便が続きます。

水分が少ないジュースなので、人によっては飲みにくいと感じるかもしれませんが、マイルド断食を一度体験すると、体が変わっていくのがわかります。便秘は解消して、肌のコンディションも格段に良くなります。

免疫力が高まった体は、内側も外側もきれいなのです。

深くよく眠る女ほど、「ずっと若い」！

「良い眠り」は、若くて強い体をつくります。

睡眠は、たんなる休息ではありません。体を強くする役割を担っています。

睡眠は、夢を見るレム睡眠と、夢をほとんど見ないノンレム睡眠がセットになり、約90分周期（睡眠のサイクル）で、5セット繰り返されて目覚めに至ります。

レム睡眠は、心のメンテナンスの役割を持ちます。脳は昼間経験したことを記憶としてしまい込み、よけいなことを忘れます。レム睡眠の特徴は、寝入りに短く朝方になると長くなるということです。

ノンレム睡眠は、体や脳の休息、体の成長に関係しています。

体を強くするのに欠かせない成長ホルモンは、寝入ってから30分後にやってくる最初のノンレム睡眠時、とくに夜10時ころから午前2時の間にグッスリ眠っていると、多く分泌されます。

体を強くする「良い睡眠」をとるには、7時間半前後（90分周期×5）の睡眠時間が理想的です。実際、もっとも健康的に長生きできる睡眠時間、とされています。

それにもまして大切なのは、決まった時刻に寝て、起きることです。

人間は体内に時計（体内時計）を持っています。「時計」といっても、この時計は1日24時間の本当の時計と違い、なぜか25時間で動いています。しかし、朝日を浴びた瞬間に、体内時計は24時間に修正されるようになっています。

週末に寝だめをしても、月曜日の朝、すっきりしないのは、遅く起きていつもの時間に朝の光を浴びることができなかった結果、体内時計がずれてしまうからです。

休日の2日間、午前10時過ぎまで寝ていると、体内時計は合わせて2時間ずれてしまいます。いつも朝の6時に起きている人は、月曜日は朝の4時に起きているような感覚になります。

ですから、休日でも、朝はいつもと同じ時間に起きて、朝日を浴びることが大切です。眠り足りないときは、15〜20分程度の仮眠をとればいいのです。**15〜20分の仮眠は疲労感、眠気の回復に効果的**です。

寝る時刻は、理想を言えば10時から11時までの間に寝るのが一番ですが、仕事や家庭の事情などで異なるのが普通です。せめて日付が変わる前には、床につきたいものです。

ただ、病院やコールセンターに勤務する人など、日常的に夜勤がある人は、睡眠のリズムが一定しません。積み重なると、不眠症になりかねません。

それにも策はあります。

まず、夜勤終了後、ただちに帰宅します。正午までに3時間ほど仮眠をとります。

午後は原則、起きていますが、眠気に襲われるようであれば、15〜20分程度の仮眠をとります。20分以上眠っていると、深い睡眠に入ってしまい、なかなか起きられなくなります。午後の睡眠は、夜の寝つきを悪くします。

このように遅く就寝し、短い睡眠時間をとり、つらくてもいつもと同じ時刻に起きて日の光を浴びます。これを続けると、不規則な勤務体制にスムーズに対応できる睡眠リズムができ、**いつも「良い眠り」が確保できる**ようになります。

十分な睡眠は、疲労回復やホルモンの分泌に欠かせません。睡眠不足になると、血糖値が高くなったり、ガンやウイルスに対する免疫力が低下したりします。

朝、目覚めて陽の光を浴び、夜は日付が変わる前に眠る。アンチエイジングには欠かせない生活習慣です。

33度——体を強くする睡眠温度

もう一つ「良い睡眠」を得るコツを紹介しましょう。

ふとんの中を33度にする。といっても、ふとんの中の温度は調節しにくいので、室温を調整します。

夏は室温を27～28度くらいに設定すれば、ふとんの中は33度に保たれます。体調に支障がなければ、室温を保つためにエアコンをつけて寝てもかまいません。冬は18～20度くらいに室温を保ちます。

また、室内はドライに保つことも重要です。湿気の高い夏は除湿機を使って、湿度は50～60パーセントを保てるようにしましょう。

これは、**寝るのにちょうどいい体温を保つための習慣**です。

私たちは眠るときに、体温が下がります。

体温は目覚める少し前から高くなり、日中は高い状態を保ち、就寝時間が近づくにつれて徐々に低くなります。体温が下がって眠くなると、眠気を促すメラトニンの分泌が活発になります。

このとき、体は皮膚から放熱して血液を冷やし、これを手足の末端に循環させて体温を下げます。その適温が33度なのです。

暑くなく寒くなく、心地いい温度です。

メラトニンと体温は互いに影響しあって、良い眠りをつくっているのです。

適温より低いと、体は冷えすぎるのを防ぐため、筋肉を緊張させて熱をつくります。そうなると、体温はスムーズに下がりません。適温より高いと、体は発汗して体温を効率よく下げることができず、寝つきが悪くなります。

なかなか寝つけないという人は、この体温の低下がスムーズでないからです。体温を下げるには、**寝る前に体温を上げる**のが効果的。

たとえば、DITを高めるために、夕食には鍋ものやキムチ、トウガラシなどカプサイシンを含むものを食べることをご紹介しましたが、これも良い睡眠を得るための効果的な方法になります。

眠る前に、筋トレやストレッチを行なうこと、ゆっくりとお風呂に入ることも、適度に体温を上げてくれます。

こうして体温を一時的に上げると、脳が体温を一気に下げる指令を出します。すると自然に眠気が訪れます。眠りにつく一番いいタイミングです。

体を芯から温める！ 女を磨く入浴の作法

入浴は健康長寿のためにも、非常にいい習慣です。

汗といっしょに排泄された老廃物を洗い流すだけでなく、ぬるめの湯にゆっくりつかることで副交感神経が優位になり、血管の緊張がとれます。日本人が欧米人より長寿なのには、湯船につかる習慣も一役買っているはずです。

良い眠りは体の中の中心部の温度、深部体温と関係しています。寝入るときに深部体温が急激に下がると、寝つきも良くなり、良い眠りが得られます。

深部体温を急降下させるもっともいい方法は、半身浴です。40度以下のあまり熱くない温度で、就寝1、2時間前ころに入浴するのがおすすめです。まずは1週間に1回くらいのペースを目安に、無理なく行なってみましょう。

半身浴のやり方は、次のとおり。

「じんわり汗をかく入浴」が正解！

まず、入浴前にコップ1杯の水を飲みます。

湯船に入る前に、湯につかる下半身だけにかけ湯をします。全身にかけ湯をすると、入浴中に外に出ている上半身に残っている水分が蒸発し、体温が下がってしまうので注意してください。

湯船に入り、おへその少し上までつかります。20~30分つかると、体が芯まで温まり、**汗がジワーッと出てきます**。

体を洗ってから、5、6分、またおへその少し上までつかって汗を十分にかきます。シャンプーなどをして、最後に湯船につかるときは、体がすでに温かくなっているので全身浴でもかまいません。

湯につかるのはトータルで3回までです。

湯から上がるときに、あまり急に立ち上がると立ちくらみを起こすことがあります。立ちくらみを防ぐには、湯につかっている間に手を水につけます。血圧が上がり、立ちくらみを防ぎます。

半身浴に適した時間帯というのはとくにありません。ただし、食事の直前、直後や、お酒を飲んだ後の半身浴は避けます。

食べたものを消化するときには血液が胃腸に集まりますが、半身浴をすると全身の血行が活発になるために、消化不良を起こしてしまう可能性があります。また、飲酒後は血圧が不安定になりがちですから、血行を促進する半身浴は危険です。

この2点さえ守れば、**半身浴は若返りと体の強化にとても効果的**です。血行を促進し、ジワーッと汗をかくので、疲労回復、美容に効用があるのはもちろん、体温が上がることで、基礎代謝力も免疫力もグンと高まります。

ずっと若い女性は「鼻で息を吸っている」？

「ずっと若い体」をつくる呼吸というものがあります。

呼吸法は、あなどれないアンチエイジングの技術なのです。正しい呼吸法を身につけている人とそうでない人とでは、まず健康状態に大きな差が出てきます。呼吸の仕方一つで、免疫力に差が出てしまうのです。

正しい呼吸法をしていると、横隔膜が強くなって呼吸力が高まります。すると自然に心肺機能も上昇して血液のめぐりが良くなります。肩こりは解消し、疲労は早く回復します。

さらに正しい呼吸法には、心身をリラックスさせる効果もあるのです。幸い、呼吸は自分でコントロールができ、速くしたり遅くしたり、長くしたり、短くしたり、深くしたり、浅くしたりできます。

正しい呼吸法とは、呼気（口から吐く息）の長い「腹式呼吸」です。

腹式呼吸は、正座でも椅子に座ってでも、姿勢を良くしなければできません。**背中や首のつけ根あたりの筋肉が鍛えられるので基礎代謝力が高まり、一石二鳥**です。

やり方は簡単。

背すじを伸ばして腹に手を当てます。口から息を吐く（呼気）のにともなってお腹がへこみ、鼻から息を吸い込む（吸気）のにともなって、お腹がふくれることを確かめながら行ないます。毎日、思いつくたびに何回でも、トータルで10～20分程度になるまでやりましょう。

呼気は、吸気の2倍くらい長く行なうのがコツです。

「ずっと若い体」をつくる呼吸法

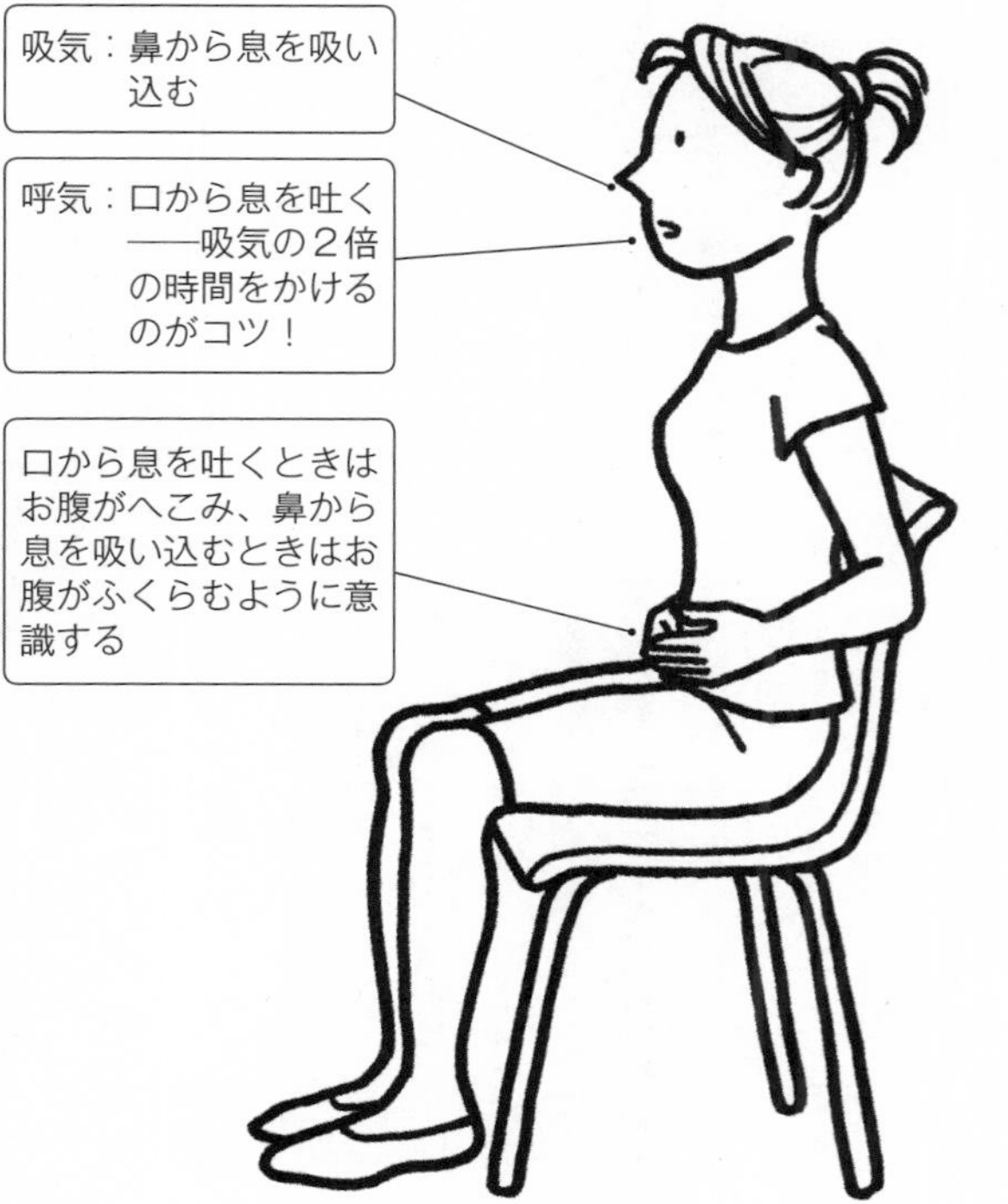
吸気：鼻から息を吸い込む
呼気：口から息を吐く──吸気の２倍の時間をかけるのがコツ！
口から息を吐くときはお腹がへこみ、鼻から息を吸い込むときはお腹がふくらむように意識する体温などを調整し、体を健康に保つ自律神経は、「緊張」をつかさどる交感神経と、「休息」をつかさどる副交感神経のバランスで成り立っています。長い呼気は副交感神経に働きかけ、体を活動モードから休息モードに変えます。

するとストレスがやわらぎます。ストレスホルモンの過剰分泌も抑えられるので、全体的にホルモンバランスが良くなります。

ここで、普段のあなたの呼吸も、チェックしてみましょう。

浅い口呼吸をしているようでしたら、「老けやすい体」である可能性が大です。口呼吸だと酸素が全身に行き渡らず、体脂肪が燃えにくい体になってしまうからです。

また、口からさまざまな雑菌が侵入してくるので、免疫力が落ちています。

鼻で呼吸をしている人は、それだけでも「ずっと若い体」である可能性が大です。

鼻呼吸には、腹式呼吸と同じ効果があるのです。

「鼻呼吸の人」は若々しく、「口呼吸の人」は老けやすいのです。

心と体は一つ——1日10分、「自分だけの時間」を持とう

目を休める。耳を休める。頭を休める。

ストレスの解消法です。

食べたり飲んだり。これもストレス解消法ですが、肥満、老化を招く方法です。

趣味に没頭する。スポーツに打ち込む。効果的な解消法ですが、そのための時間をとるのはむずかしい。

そこでおすすめしたいのが、**1日10分、自分だけの時間を持つこと**です。

体にはさまざまなセンサー（目、耳、脳など）が備わっていて、意識するしないにかかわらず、つねに外界からの情報を受けとり、それに反応しています。この過程でストレスが生まれます。

外界とのやりとりを完全にシャットアウトし、いっさいの反応をしないでいい時間

をつくり出すのです。自分の部屋でも、公園のベンチでも、静かな喫茶店でもいいでしょう。たった10分でも、意識的にこうした時間を持つことで、強いストレスから自分を解放してあげます。

自分だけの時間は、内省の時間でもあります。自分を見つめる時間です。「1日10分の孤独」とも言える時間です。外界に向けていたセンサーを休ませます。あるいは自分に向けて、外界とのやりとりをシャットアウトします。「目休め、耳休め、頭休め」です。

不機嫌な女ほど、老けやすい。こう言っても言いすぎではありません。日ごろから、今言ったような「内省の時間」を持つことで、自分の顔が不機嫌なストレス顔にならないようにマネジメントします。

アンチエイジング医療を通じて実感するのは、アンチエイジングの習慣とじょうずにつき合う50代の女性が少なくないことです。彼女たちに共通するのは、ストレスから自分をうまく解放しているところです。

可能な限り規則正しい食生活を送り、適度な運動を楽しみ、良い睡眠を確保しています。体の中から若返る習慣を楽しんでいるのです。けっしてがんばってはいません。